美丽的桥
Beautiful Bridge

编者	刘 理	李 征	梁 维
	齐鸿雁	夏利保	杨丽静
Authours	Liu Li	Li Zheng	Liang Wei
	Qi Hongyan	Xia Libao	Yang Lijing
英译	盖梦丽	张 琼	
Translators	Ge Mengli	Zhang Qiong	
插图	王嘉利		
Artist	Wang Jiali		

美丽的桥

初级实用汉语口语

BEAUTIFUL BRIDGE
PRELIMINARY PRACTICAL
SPOKEN CHINESE

上

 The Bridge School 编著

北京语言大学出版社
BEIJING LANGUAGE AND CULTURE
UNIVERSITY PRESS

图书在版编目（CIP）数据

初级实用汉语口语. 上／北京桥学校编著. —北京：
北京语言大学出版社，2009.9（2013.9重印）
（美丽的桥）
ISBN 978-7-5619-2417-4

Ⅰ. 初… Ⅱ. 北… Ⅲ. 汉语 – 口语 – 对外汉语教学 – 教材
Ⅳ. H195.4

中国版本图书馆CIP数据核字（2009）第154421号

书　　名：美丽的桥：初级实用汉语口语（上）
责任印制：陈　辉

出版发行：北京语言大学出版社
社　　址：北京市海淀区学院路15号　邮政编码：100083
网　　址：www.blcup.com
电　　话：发行部 010-82303650/3591/3651
　　　　　编辑部 010-82300090
　　　　　读者服务部 010-82303653/3908
　　　　　网上订购电话 010-82303668
　　　　　客户服务信箱 service@blcup.net
印　　刷：北京画中画印刷有限公司
经　　销：全国新华书店

版　　次：2009年9月第1版　　2013年9月第3次印刷
开　　本：787毫米 × 1092毫米　1/16　印张：8.5
字　　数：87千字
书　　号：ISBN 978-7-5619-2417-4/ H·09140
定　　价：39.00元（附赠录音CD一张）

凡有印装质量问题，本社负责调换。电话：010-82303590

编 写 说 明

　　《美丽的桥：初级实用汉语口语》是为在华工作、生活的外国人士编写的初级汉语教材。该套教材课文短小、精悍，词汇实用、丰富，所选话题贴近生活实际，特别适合公务繁忙、学习时间不能固定但又迫切需要用汉语交流的初学者学习使用。

　　《美丽的桥：初级实用汉语口语》上下两册各12课，共24课。其中第一、二课为语音学习部分，第3-24课为主课部分。主课由课文、生词、扩展生词、注释、语言点和语言活动几部分组成。本套教材课文涉及的人物固定，内容以一个在京工作的外国人麦克的工作、生活为线索展开，每课涉及一个话题，内容涵盖了购物、打车、日程安排、在饭馆点菜等方面，非常贴近生活实际，使学习者能在较短的时间内掌握"生存汉语口语"。词汇部分由生词和扩展生词构成，生词为课文中出现的新词语，扩展生词则为语言活动中出现或作为补充的新词语。课后的语言活动，是学习完生词和语言点后，为学习者在课堂上进行互动练习而设计的，其目的是利用虚拟场景让学习者练习每课所学的主要内容。本书适用于一对一和小班授课两种教学形式。一对一教学可用60课时完成，小班授课可用72课时完成。

　　此外，本书配有课文和生词的录音CD、生词卡片及练习册，方便学习者自行预习、复习或者自学使用。

　　在本套教材编写过程中，北京语言大学出版社的副总编辑王飙老师和桥学校的仇雁平校长对本书的编写提出了很多建设性的意见，桥学校的部分老师也给予了热情的帮助和指导，在此表示衷心的感谢！

编 者

2009年7月

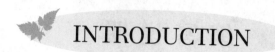

INTRODUCTION

Beautiful Bridge:Preliminary Practical Spoken Chinese is a set of textbooks intended for foreigners working and living in China to learn Chinese from the very beginning. The texts included in the books are short and pithy, the words used are rich and practical, and the topics chosen are true to life, so they are a suitable choice for beginners who are busy working and can not afford regular study time but have to use Chinese urgently.

Beautiful Bridge:Preliminary Practical Spoken Chinese includes two volumes with 12 units in each. The first two units focus on the phonetics and the third to the 24th units are the main chapters, which consist of the text, new words, vocabulary extension, notes, language points and oral activity. The main character in the texts is Mike, a foreigner working in Beijing. The content covers various aspects of Mike's work and life in Beijing, from shopping, taking taxi, daily schedule to dining in the restaurant. The conversations are true to life and very practical for beginners to master the "survival oral Chinese" in a short period. The words are made up of two parts: new words and vocabulary extension. The former are the new words from the texts; the latter are the new words from the oral activity or words as a complement. The oral activity after the texts is an interactive activity for learners to practice the Chinese they have just learned in a simulated situation. The books can be best used in one-to-one teaching and small classroom teaching. 60 hours are needed to go through the books in the one-to-one teaching, and 72 hours are needed in a small classroom teaching.

In addition, a CD recording the texts and new words, cards listing the new words as well as an exercise book go together with the books for learners to preview, review and self-study.

Finally, I would like to express my sincere gratitude to Wangbiao, the associate editor of Beijing Language and Culture University Press, Qiu Yanping, the president of The Bridge School, and some other teachers in The Bridge School, who provide constructive suggestions, generous help and advice in the course of compiling the books.

The authors
2009.7

1 你们好!   *many people*   *Hello*
Nǐmen hǎo!
Hello, everyone!

2 老师好!   Lǎoshī hǎo!
Hello, Sir/Madam!

one

3 现在上课。   Xiànzài shàng kè? *Last*
Now the class begins.

4 现在休息。   Xiànzài xiūxi.
Have a break now.

5 现在下课。   Xiànzài xià kè. *Last*
Class is over now.

6 懂了吗?   Dǒng le ma?
Have you got it?

7 懂了。   Dǒng le.
I've got it.

8 不懂。   Bù dǒng.
I haven't got it.

9 我说，你们听。

single

I speak you Listen

Wǒ shuō, nǐmen tīng.

Listen to me. I speak, and you listen.

10 请跟我说。

Please follow me Read Speak n read

Qǐng gēn wǒ shuō.

Read after me, please.

11 请你说。

You

Qǐng nǐ shuō.

You speak, please.

12 不对。请再说一遍。

no Right again speak once more biàn

Bú duì. Qǐng zài shuō yí biàn.

It's not correct. Please say it again.

13 很好！

hěn

Hěn hǎo!

Very good!

14 请看白板。

kàn

Qǐng kàn báibǎn.

Look at the white board, please.

15 请看注释。

zhù-shì

Qing kàn zhùshì.

Look at the notes, please.

16 现在听写。

Xiànzài tīngxiě.

Now let's have a dictation.

17 请读汉字。

Qǐng dú Hànzì.

Read the Chinese characters, please.

18 请读短语和句子。

Qǐng dú duǎnyǔ hé jùzi.

Please read the phrases and sentences.

19 请读课文。

read text

Qǐng dú kèwén.
Read the text, please.

20 请大声一点儿。

louder a little bit

Qǐng dà shēng yì diǎnr.
Louder, please.

21 请读汉字，不看拼音。

read character don't see

Qǐng dú Hànzì, bú kàn pīnyīn.
Read the Chinese characters without looking at the *pinyin*, please.

22 请你问他（她）。

please you ask him/her

Qǐng nǐ wèn tā.
Ask him / her, please.

23 你们一起说。

you together speak

Nǐmen yìqǐ shuō.
Speak together.

24 请打开书，翻到第三页。

open book turn to the 3rd page

Qǐng dǎ kāi shū, fān dào dì-sān yè.
Open your books and turn to page three, please.

25 请写拼音。

write

Qǐng xiě pīnyīn.
Write down the *pinyin*, please.

26 请写汉字。

Qǐng xiě Hànzì.
Write down the Chinese characters, please.

27 请交作业。

Qǐng jiāo zuòyè.
Hand in your homework, please.

28 请做作业。

Qǐng zuò zuòyè.
Do your assignment, please.

［ 主 要 人 物 ］
Main Characters

Màikè
麦克

Yīngguórén, zài yínháng gōngzuò, jīnglǐ.
英国人， 在 银行 工作，经理。

British, works as a manager in a bank.

Mǎ Lì
马丽

Màikè de tàitai, Zhōngguórén, bù gōngzuò.
麦克 的 太太， 中国人， 不 工作。

Mike's wife, Chinese, doesn't work.

Lù Dōng
陆东

Màikè de tóngshì, Zhōngguórén.
麦克 的 同事， 中国人。

Mike's colleague, Chinese.

Bǐdé
彼得

Màikè de lǎobǎn, Měiguórén.
麦克 的 老板， 美国人。

Mike's boss, American.

Yuányuan
园园

Mǎ Lì de péngyǒu, Zhōngguórén, gōngchéngshī.
马丽 的 朋友， 中国人， 工程师。

Mary's friend, Chinese, engineer.

Lín Dá
林达

Bǐdé de péngyǒu, Fǎguórén.
彼得 的 朋友， 法国人。

Peter's friend, French.

目录

Contents

语法术语表
Grammar Terminology

Abbreviation	Grammar Terms in English	Grammar Terms in Chinese	Grammar Terms in Pinyin
n.	noun	名词	míngcí
v.	verb	动词	dòngcí
aux.v.	auxiliary verb	助动词	zhùdòngcí
adj.	adjective	形容词	xíngróngcí
pron.	pronoun	代词	dàicí
num.	numeral	数词	shùcí
m.	measure word	量词	liàngcí
adv.	adverb	副词	fùcí
conj.	conjunction	连词	liáncí
pt.	particle	助词	zhùcí
prep.	preposition	介词	jiècí
s.	subject	主语	zhǔyǔ
o.	object	宾语	bīnyǔ
pred.	predicate	谓语	wèiyǔ
suf.	suffix	词尾	cíwěi

你 好
Nǐ hǎo

Hello

Yǔyīn
语音
Phonetics

1 声母 Shēngmǔ Initials

b   p   m   f   d   t   n   l

g   k   h   j   q   x

2 韵母 Yùnmǔ Finals

a   o   e   i   u   ü

ai   ei   ui(uei)   ao   ou   iu(iou)

ia   ie   ua   uo   iao   uai

语音练习 Yǔyīn liànxí Exercises

拼读 Pīndú Read Aloud

1. ba pa ma fa   da ta na la   ga ka ha
2. bo po mo fo   di ti ni li   ge ke he
3. bu pu mu fu   du tu nu lu   gu ku hu
4. bai pai mai dai tai gai kai
5. bei pei fei lei hei
6. dui tui gui kui hui
7. bao pao mao dao tao nao lao gao
8. pou dou tou gou kou
9. diu niu liu qiu xiu jia qia xia
10. gua kua hua duo tuo guo huo
11. biao diao piao tiao jiao qiao xiao

辨声母 Biàn shēngmǔ Initials Discrimination

ba	pa	da	ta	na	la	ga	ka	ha
bo	po	de	te	ne	le	ge	ke	he
bi	pi	di	ti	ni	li	ji	qi	xi
bu	pu	du	tu	nu	lu	gu	ku	hu
lü	nü	fu	hu	gu	ku	ju	qu	xu
jia	qia	gua	hua	huo	tuo	jiu	qiu	xiu
biao	piao	diao	tiao	jiao	qiao	xiao		

辨韵母 *Biàn yùnmǔ* *Finals Discrimination*

bai	bei	pai	pei	mai	mei	lai	lei
tao	tou	gao	gou	kao	kou	hao	hou
dui	niu	tui	xiu	kui	jiu	gui	qiu

语音注释与练习 Yǔyīn zhùshì yǔ liànxí
Notes and Exercises

一、声调 Shēngdiào Tones

（一）基本声调 Jīběn shēngdiào Basic Tones

1. 汉语普通话语音有四个基本声调，分别用声调符号："ˉ"（第一声）、"ˊ"（第二声）、"ˇ"（第三声）、"ˋ"（第四声）来表示。声调不同，表达的意思也不同。如：

There are four basic tones in standard Chinese, namely "ˉ" (the first tone), "ˊ"(the second tone) , "ˇ"(the third tone) and "ˋ"(the fourth tone). If the tones are different, the meanings of the same syllable will be different. For example:

bā	八	eight
bá	拔	to pull
bǎ	靶	target
bà	爸	father

声调示意图　Shēngdiào shìyìtú　Figure Showing The Tones

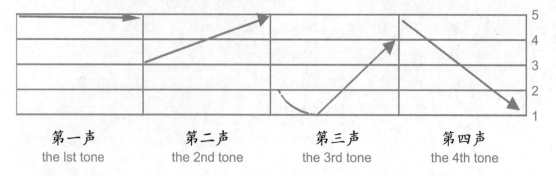

第一声	第二声	第三声	第四声
the lst tone	the 2nd tone	the 3rd tone	the 4th tone

2. 声调练习　Shēngdiào liànxí　Drills

❶ 读音节　Dú yīnjié　Read Aloud

第一声	bā	pō	mī	fū	tū	gē	hū
	jī	qī	xī	xū	yī	wū	yū
	bāi	fēi	tāo	xiē	duō	xuē	qiāo
第二声	bá	pó	mí	fú	tú	gé	hú
	jí	qí	xí	xú	yí	wú	yú
	bái	féi	táo	xié	duó	xué	qiáo
第三声	bǎ	pǒ	mǐ	fǔ	tǔ	gě	hǔ
	jǐ	qǐ	xǐ	xǔ	yǐ	wǔ	yǔ
	bǎi	fěi	tǎo	xiě	duǒ	xuě	qiǎo
第四声	bà	pò	mì	fù	tù	gè	hù
	jì	qì	xì	xù	yì	wù	yù
	bài	fèi	tào	xiè	duò	xuè	qiào

② **辨声调** *Biàn shēngdiào* Tone Discrimination

区别一、四声 ⋯⋯ Discriminate the 1st Tone between the 4th Tone

bā bà	pā pà	mā mà	dī dì	tī tì
nī nì	lē lè	gē gè	kē kè	hū hù
jū jù	qū qù	xū xù	bāi bài	fēi fèi
tāo tào	xiē xiè	duō duò	xuē xuè	qiāo qiào

区别二、四声 ⋯⋯ Discriminate the 2nd Tone between the 4th Tone

bá bà	pá pà	má mà	dí dì	tí tì
ní nì	lú lù	gé gè	ké kè	hú hù
jú jù	qú qù	xú xù	bái bài	féi fèi
táo tào	xié xiè	duó duò	xué xuè	qiáo qiào

区别二、三声 ⋯⋯ Discriminate the 2nd Tone between the 3rd Tone

bá bǎ	pá pǎ	má mǎ	dí dǐ	tí tǐ
ní nǐ	lú lǔ	gé gě	ké kě	hú hǔ
jú jǔ	qú qǔ	xú xǔ	bái bǎi	féi fěi
táo tǎo	xié xiě	duó duǒ	xué xuě	qiáo qiǎo

③ **辨音节** *Biàn yīnjié* Syllables Discrimination

bāi bèi	pāi pèi	māi mèi	duī tuì	guī kuì
tāo tòu	lāo lòu	gāo gòu	kāo kòu	hāo hòu

（二）轻声 Qīngshēng Neutral Tone

1．汉语普通话的每一个汉字都有固有的声调，但在词或句子里有些音节时常失去它原有的声调而读得又轻又短，这就是轻声。轻声不标调号，如：

Generally speaking, every character in standard chinese has a fixed tone, but more often than not in some phrases or sentences some syllables may lose their orginal tones and are pronounced slight and short.This tone is called the neutral tone. The neutral tone does not have a phonetic mark. For example:

妈妈	māma	mother
爸爸	bàba	father
哥哥	gēge	elder brother
弟弟	dìdi	younger brother

2．轻声练习 Qīngshēng Liànxí Drills

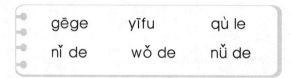

gēge	yīfu	qù le
nǐ de	wǒ de	nǚ de

（三）三声变调① Sānshēng biàndiào The Third Tone Sandhi ①

1．两个第三声连在一起时，前一个第三声要读成第二声。

When two third tones appear together, the 1st third tone will change to a second tone.

2．练习　liànxí　Drills

nǐ hǎo　　yǔfǎ　　qǐmǎ　　kěyǐ　　yǒuhǎo

wǔ bǎi　　lǎohǔ　　měihǎo　　xiǎo yǔ　　xiǎoniǎo

二、拼写规则 Pīnxiě guīzé Rules of Phonetic Spelling

（一）

1．ü 只能和 l、n、j、q、x 这几个辅音相拼。在书写时，除了和 l、n 相拼以外，ü 上的两点一律省略，如：

ü can only be combined with several initials such as "l", "n", "j", "q", "x", and will be written as "u" except when it appears immediately after "l" and "n". For example:

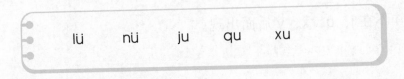

lü　　nü　　ju　　qu　　xu

2．当 ü 独自成音节时，应写成 yu，上面的两点也应省略。

When "ü" stands by itself as a syllable, it should be written as "u".

（二）

1．当 i 独自成音节时，应写成 yi。

When "i" stands by itself as a syllable, it should be written as "yi".

2．以 i 开头的韵母自成音节时，i 应写成 y。如：

"i" should be written as "y" when it is placed at the beginning of a final to form a syllable. For example:

$$ia \longrightarrow ya \qquad io \longrightarrow yo$$

（三）

1．当 u 独自成音节时，应写成 wu。

When "u" stands by itself as a syllable, it should be written as "wu".

2．当 u 和其他韵母相拼成音节时，应写成 w。如：

When "u" stands by itself as a syllable, it should be written as "w". For example:

$$ua \longrightarrow wa \qquad uo \longrightarrow wo$$

3．u 不在 j、q、x、y 后面出现。

"u" never appears after "j", "q", "x", "y".

（四）

1．uei 和声母相拼时，应去掉 e，写成 ui。如：

When "uei" combines with an initial, "e" should be left out. For example:

duei →dui   tuei →tui   guei →gui   kuei →kui

2. iou 和声母相拼时，应去掉 o，写成 iu。如：

When "iou" combines with an initial, "o" should be left out. For example:

diou → diu   miou → miu   niou → niu   liou → liu

Kèwén
课文
Text

Nǐ hǎo.
A 你 好①。

Nǐ hǎo.
B 你 好。

Nǐ hē kāfēi ma?
A 你 喝 咖啡 吗？

Wǒ bù hē kāfēi. Wǒ hē kělè.
B 我 不 喝 咖啡。我 喝 可乐。

生 词
shēngcí　New Words

1	你	*pron.*	nǐ	you
2	好	*adj.*	hǎo	good
3	喝	*v.*	hē	to drink
4	咖啡	*n.*	kāfēi	coffee
5	吗	*p.t.*	ma	*particle for a "yes" or "no"question*
6	我	*pron.*	wǒ	I
7	不	*adv.*	bù	no,not
8	可乐	*n.*	kělè	cola

扩展生词　Kuòzhǎn shēngcí　Vocabulary Extension

1	爸爸	*n.*	bàba	father
2	妈妈	*n.*	māma	mother
3	哥哥	*n.*	gēge	elder brother
4	弟弟	*n.*	dìdi	younger brother
5	啤酒	*n.*	píjiǔ	beer
6	牛奶	*n.*	niúnǎi	milk
7	他	*pron.*	tā	he, him
8	她	*pron.*	tā	she, her

注释 Zhùshì Notes

❶ 你好。

这是一句常用的打招呼用语，向对方表示友好或敬意，可用于任何时间、任何人，对方回应也是"你好"。

"你好" is a common expression used in greeting to show friendliness or respect. It can be used at any time, to anyone. Usually the person greeted may answer "你好" in response.

语言点 Yǔyándiǎn
Language Points

1. 主语+动词+宾语：Subject+Verb+Object

汉语的基本句型：主语 + 动词 + 宾语。如："我喝可乐。"如果有否定副词，否定副词应放在动词前。如："我不喝可乐。"

Subject+Verb+Object is a basic sentence structure in Chinese. For example, "我喝可乐". If there is a negative adverb, the negative adverb should be placed before the verb, such as "我不喝可乐".

2. 是非疑问句 Yes-no Questions

"吗"是语气助词，放在陈述句句尾，构成是非疑问句，如："你喝可乐。"是陈述句；"你喝可乐吗？"是是非疑问句。

"吗", a modal particle, is usually put at the end of a declarative sentence to form a "yes" or "no" question. For example, "你喝可乐." is a declarative sentence, but "你喝可乐吗?" is a question requiring a "yes"or "no" answer.

语言活动
Yǔyán Huódòng
Oral Activity

e.g.

Bàba hē kāfēi ma?
Q：爸爸 喝 咖啡 吗？

Tā bù hē kāfēi, tā hē píjiǔ.
A：他 不 喝 咖啡，他 喝 啤酒。

hē　　　ma?
Q：_____ 喝 _____ 吗？

Tā bù hē　　　　　　tā hē
A：他 不 喝 _____，他 喝 _____。

2 你 饿 吗
Nǐ è ma
Are You Hungry

Yǔyīn
语音
Phonetics

1 声母 Shēngmǔ Initials

z　c　s　zh　ch　sh　r

2 韵母 Yùnmǔ Finals

an　en　in　un(uen)　ün　üe　er

ian　uan　üan　ang　iang　uang　eng

ing　ueng　ong　iong　-i[ı]　-i[ʅ]

13

语音练习 Yǔyīn liànxí Exercises

zuótiān	hěn máng	zǎofàn	zàijiàn
cídiǎn	jiārén	jīnglǐ	shūcài
sānshí	yǔsǎn	bǐsài	hóngsè
zhīdao	gōngyuán	huòzhě	zhàngfu
chūntiān	jīchǎng	chàng gē	Chángchéng
shēngcí	shénme	dàshǐ	shàngwǔ
fànguǎnr	ránhòu	rènao	róngyì
yīnyuè	yúkuài	yǔsǎn	yǒuyòng
duànliàn	wénhuà	shǐguǎn	qǐng wèn

语音注释与练习 Yǔyīn zhùshì yǔ liànxí
Notes and Exercises

一、三声变调②：半三声 Bànsānshēng The Third Tone Sandhi: Half 3rd Tone ②

1. 第三声在第一、二、四声和轻声字前面时，要读成半三声，也就是只读第三声的前一半的降调，而失去后一半的升调。

When a third tone is followed by a 1st tone, 2nd tone and 4th tone or neutral tone, it should be changed into a half 3rd tone, i.e. the falling tone (the former half of third tone) is pronounced but the rising tone (the latter half of the third tone) is lost.

2．练习 Liànxí Exercises

lǎoshī	měilì	hǎokàn	wǎnshang
dǔ chē	Měiguó	mǎlù	xǐhuan
Běijīng	yǐqián	wǎnfàn	zěnme
měi tiān	xiǎoháir	pǎo bù	jiǎozi
hǎochī	yǒumíng	qǐng zuò	zǎoshang

二、"不"的变调 "Bù" de biàndiào Tone Sandhi of "不"

1．"不"单独念时读原调（bù），在另一个第四声前面时变成第二声。在第一、二、三声前仍读第四声。如：

"不" is pronounced as "bù"(the fourth tone)when used alone. But when it precedes word in 4th tone, it changes into the 2nd tone. It remains the fourth tone when used before words in first tone, the second tone and the third tone. For example:

不喝	bù hē	not to drink
不学习	bù xuéxí	not to study
不好	bù hǎo	bad
不是	bú shì	is not

2. 练习　liànxí　Exercises

bù hēi	bù bái	bù xiǎo	bú dà
bù shū	bù yíng	bù yuǎn	bú jìn
bù shuō	bù dú	bù xiě	bú huà
bù huāng	bù máng	bù hǎo	bú huài
bù suān	bù tián	bù kǔ	bú là
bù guānxīn	bù hútu	bù kěyǐ	bú yuànyì
bù fāngbiàn	bù línghuó	bù hǎokàn	bú piàoliang

Kèwén
课文
Text

（一）

A
Nǐ è ma?
你 饿 吗?

B
Wǒ bú è, nǐ ne?①
我 不 饿，你 呢①?

C
Wǒ hěn è.
我 很 饿。

（二）

Nǐ chī shénme?
B 你 吃 什么？

Wǒ chī jiǎozi.
A 我 吃 饺子。

Gěi nǐ.
B 给 你②。

Xièxiè.
A 谢谢。

Bú kèqi.
B 不 客气。

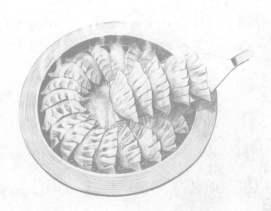

生 词
shēngcí New Words

1	饿	*adj.*	è	hungry
2	呢	*p.t.*	ne	*modal partical for questions*
3	很	*adv.*	hěn	very
4	吃	*v.*	chī	to eat
5	什么	*pron.*	shénme	what
6	饺子	*n.*	jiǎozi	dumpling
7	给	*v.*	gěi	to give
8	谢谢	*v.*	xièxie	thanks
9	不客气		bú kèqi	you are welcome

扩展生词　Kuòzhǎn shēngcí　Vocabulary Extension

1	忙	*adj.*	máng	busy
2	累	*adj.*	lèi	tired , exhausted
3	渴	*adj.*	kě	thirsty
4	热	*adj.*	rè	hot
5	冷	*adj.*	lěng	cold
6	面包	*n.*	miànbāo	bread
7	包子	*n.*	bāozi	steam bun
8	巧克力	*n.*	qiǎokèlì	chocolate
9	米饭	*n.*	mǐfàn	cooked rice
10	三明治	*n.*	sānmíngzhì	sandwich

注释　Zhùshì　Notes

1 你呢？

呢：语气助词，放在名词或代词后面，构成省略疑问句。在本句中用于承接别人的问句，回问别人。

"呢" is a modal particle and can be used after a noun or a pronoun to form an elliptical question. Here it is used to respond to a question just asked and to ask back.

❷ 给你。

"我给你。"在口语中，常常省略主语"我"，而只说"给你"。

The subject "我" in "我给你" is often omitted in spoken Chinese, hence "给你" instead of "我给你".

语言点　Yǔyándiǎn
Language Points

形容词谓语句：Adjectives As Predicate

在汉语中，形容词跟动词一样可以直接充当谓语，前面不需要动词"是"。但在汉语中一般不用形容词单独作谓语。如果谓语只有一个形容词，一般要在形容词前加上程度副词"很"，这时"很"表程度的意思已经弱化。

In Chinese, adjectives, like verbs, can act as predicate without the verb "是", however the adjectives are seldom used alone. When there is only one adjective in the predicate, "很" (an adverb of degree, meaning "very") is usually put before the adjective. And in this case, the meaning of "很", indicating degree, is weakened.

> Wǒ hěn hǎo.　　Wǒ hěn è.
> 我很好。　　我很饿。

语言活动　Yǔyán Huódòng
Oral Activity

（一）看图说话　Look and Say

❶

A：他　Tā _____ 吗？　ma?

B：他　Tā _____ 。

❷

A：你吃什么？　Nǐ chī shénme?

B：我吃　Wǒ chī _____ 。

A：给你。　Gěi nǐ.

Xièxie.
B：谢谢。

Bú kèqi.
A：不客气。

（二）句型替换　Pattern Drills

Nǐ　　chī　　　bāozi　　ma?
A：你 ＿＿＿吃＿＿ ＿＿包子＿＿ 吗？

Bù　　chī　,　xièxiè.
B：不 ＿＿吃＿＿ ，谢谢。

chī　　　qiǎokèlì　　mǐfàn　　sānmíngzhì
吃 —— 巧克力　米饭　三明治

hē　　　kāfēi　shuǐ　chá
喝 —— 咖啡　水　茶

3 认识你很高兴

Nice to Meet You

Kèwén
课文
Text

(一)

Before visiting Mike's boss, Peter, Mike and Mary are talking about him at home.

| Mǎ Lì 马丽 | Màikè, nǐ de lǎobǎn jiào shénme míngzi? |
| | 麦克，你的 老板 叫 什么 名字①？ |

| Màikè 麦克 | Tā jiào Bǐdé. |
| | 他 叫 彼得。 |

| Mǎ Lì 马丽 | Tā shì nǎ guó rén? |
| | 他 是 哪 国 人？ |

| Màikè 麦克 | Tā shì Měiguórén. |
| | 他 是 美国人。 |

(二)

Mike and Mary arrive at Peter's house.

| Bǐdé 彼得 | Nǐmen hǎo. |
| | 你们 好。 |

| Màikè 麦克 | Nǐ hǎo. |
| | 你 好。 |

| Mǎ Lì 马丽 | |

Bǐdé
彼得

Qǐng jìn.
请 进。

Màikè
麦克

Zhè shì wǒ de lǎobǎn Bǐdé.
这 是 我 的 老板 彼得。

Zhè shì wǒ àiren, Mǎ Lì.
这 是 我 爱人，马 丽。

Bǐdé
彼得

Rénshi nǐ hěn gāoxìng.
认识 你 很 高兴。

Mǎ Lì
马丽

Wǒ yě hěn gāoxìng.
我 也 很 高兴。

Bǐdé
彼得

Qǐng zuò.
请 坐。

Mǎ Lì
马丽

Xièxiè.
谢谢。

生 词
shēngcí New Words

1	的	*pt.*	de	of
2	老板	*n.*	lǎobǎn	boss
3	叫	*v.*	jiào	to call
4	名字	*n.*	míngzi	name
5	是	*v.*	shì	am, is, are
6	哪	*pron.*	nǎ	which

7	国	n.	guó	country
8	人	n.	rén	people
9	们	pt.	men	*suffix for plural form*
10	请	v.	qǐng	please
11	进	v.	jìn	to enter
12	这	pron.	zhè	this
13	爱人	n.	àiren	husband or wife
14	认识	v.	rènshi	to know
15	高兴	adj.	gāoxìng	glad, happy
16	也	adv.	yě	also
17	坐	v.	zuò	to sit

专有名词　Zhuānyǒu míngcí　Proper Nouns

| 美国 | Měiguó | the United States |

扩展生词　Kuòzhǎn shēngcí　Vocabulary Extension

| 1 | 姐姐 | n. | jiějie | elder sister |
| 2 | 妹妹 | n. | mèimei | younger sister |

③ 同事	n.	tóngshì	colleague
④ 阿姨	n.	āyí	house keeper
⑤ 老师	n.	lǎoshī	teacher
⑥ 那	pron.	nà	that
⑦ 手机	n.	shǒujī	cell phone
⑧ 办公室	n.	bàngōngshì	office
⑧ 对	adj.	duì	yes, right

拓展 Tuòzhǎn Extra Information

国家 Guójiā Countries Names

中国	英国	法国	德国	美国	韩国	日本
Zhōngguó	Yīngguó	Fǎguó	Déguó	Měiguó	Hánguó	Rìběn
China	Britain	France	Germany	U.S.A.	Korea(ROK)	Japan
瑞士	印度	巴西	意大利	西班牙	俄罗斯	澳大利亚
Ruìshì	Yìndù	Bāxī	Yìdàlì	Xībānyá	Éluósī	Àodàlìyà
Switzerland	India	Brazil	Italy	Spain	Russia	Australia

语言 Yǔyán Languages

汉语	韩语	日语	英语	法语	德语	意大利语	西班牙语
Hànyǔ	Hányǔ	Rìyǔ	Yīngyǔ	Fǎyǔ	Déyǔ	Yìdàlìyǔ	Xībānyáyǔ
Chinese	Korean	Japanese	English	French	German	Italian	Spanish

注释 Zhùshì Notes

❶ 你的老板叫什么名字？

问别人的姓名一般用"你叫什么名字"，在口语中常常说"你叫什么"。

"你叫什么名字？"is used to ask other's name."你叫什么？"is a shortened expression often used in spoken Chinese.

语言点 Yǔyándiǎn Language Points

1. 结构助词"的" The Structural Particle "的"

结构助词"的"，用在定语和中心语之间，表示后者属于前者的领属关系。如："我的老板"；如果后者和前者的关系紧密，且前者是代词时"的"常常省略。如"我爸爸"、"我姐姐"等等。

"的" is a structural particle, used between an attributive and a central word, indicating a possessive relation of the former to the latter, such as "我的朋友". If the relationship between the two is very close, and the former is a pronoun, "的" is often left out, such as in "我爸爸","我姐姐"and etc.

2. 特指疑问句 Interrogatives Sentence

用"哪""哪儿""谁""什么""几""多少"等疑问代词提问，即构成特指疑问句。疑问代词不改变汉语句子的词序。

Interrogatives such as "哪""哪儿""谁""什么""几"or"多少"are used to ask a question. The use of interrogatives does not affect the word order in a sentence.

哪：用在量词或数量词前。如：

"哪" is used before a measure word or a number. For example:

> Nǐ shì nǎ guó rén?
> 你 是 哪 国 人？
>
> Nǐ māma shì nǎ guó rén?
> 你 妈妈 是 哪 国 人？

什么：问事物，可以做主语或宾语，如：

"什么"means "what" and can be a subject or an object. For example:

> Nǐ chī shénme?
> 你 吃 什么？

3. 也

副词。只能用在动词或形容词的前面，不能用在句首或句尾。如：

An adverb, it can only be put before a verb or an adjective, and never appears at the beginning or the end of a sentence. For example:

> Wǒ yě chī qiǎokèlì.
> 我 也 吃 巧克力。
>
> Wǒ yě hěn hǎo.
> 我 也 很 好。

语音练习 Yǔyīn liànxí Exercises

shuǐguǒ 水果	wǔbǎi 五百	xiǎojiě 小姐	Fǎyǔ 法语	yǒudiǎnr 有点儿
lǎohǔ 老虎	xiǎo gǒu 小狗	nǐ hǎo 你好	hěn hǎo 很好	kěyǐ 可以
yǔfǎ 语法	yǔsǎn 雨伞	měihǎo 美好	shǒubiǎo 手表	hǎoyǒu 好友
lǎobǎn 老板	suǒyǐ 所以	zuǒ guǎi 左拐	měijiǔ 美酒	xǐ zǎo 洗澡

语言活动 Yǔyán Huódòng
Oral Activity

（一）看图说话 Look and Say

1

Zhè shì wǒ
这 是 我 ＿＿＿＿＿＿＿＿＿＿。

2

Zhè shì wǒ de
这 是 我 的＿＿＿＿＿＿＿＿＿＿＿。

3

Zhè shì nǐ de   ma?
A：这 是 你 的＿＿＿＿＿＿吗?

Duì.
B：对。

Zhè shì nǐ de   ma?
A：这 是 你 的＿＿＿＿＿＿吗?

Bù . zhè shì   de
B：不。这 是 ＿＿＿＿＿的＿＿＿＿。

（二）看图说话　Look and Say

Q：
Nǐ shì nǎ guó rén?
你 是 哪 国 人？

A：
Wǒ shì
我 是 _____。

Déguórén　Fǎguórén
德国人　法国人

Yìdàlìrén　Měiguórén
意大利人　美国人

（三）表演对话　Role Play

A、B：
Nǐ hǎo.
你好。

C：
Nǐmen hǎo!　Qǐng jìn.
你们 好！　请 进。

A：
Zhè shì wǒ de　　　zhè shì wǒ de
这是我的_____，这是我的_____。

B：
Nǐ hǎo.
你好。

C：
Nǐ hǎo, qǐng zuò.
你好，请坐。

A、B：
Xièxie.
谢谢。

C：
Qǐng hē (chī)
请 喝(吃)_____。

A、B：
Xièxie.
谢谢。

4

Nǐ zuò shénme gōngzuò

你做什么工作

What Do You Do

Kèwén
课文
Text

(一)

Mary takes Mike to Yuanyuan's home for an evening party.

Mǎ Lì
马丽

Zhè shì wǒ àiren, Màikè. Zhè shì wǒ de péngyou,
这是我爱人，麦克。这是我的朋友，
Yuányuan.
园园。

Yuányuan
园园

Nǐ hǎo! Nǐ shì nǎ guó rén?
你好！你是哪国人？

Màikè
麦克

Wǒ shì Yīngguórén.
我是英国人。

Yuányuan
园园

Nǐ zài nǎr gōngzuò?
你在哪儿工作？

Màikè
麦克

Wǒ zài yínháng gōngzuò. Nǐ zuò shénme gōngzuò?
我在银行工作。你做什么工作？

Yuányuan
园园

Wǒ shì gōngchéngshī.
我是工程师。

(二)

Mary and Yuanyuan are looking at Yuanyuan's family photos.

Mǎ Lì / 马丽
Yuányuan, zhè shì shéi?
园园，　这是谁？

Yuányuan / 园园
Zhè shì wǒ mèimei.
这是我 妹妹。

Mǎ Lì / 马丽
Tā zài nǎr gōngzuò?
她在哪儿 工作？

Yuányuan / 园园
Tā bù gōngzuò, tā zài dàxué xuéxí.　Nǐ yǒu mèimei ma?
她不工作，她在大学 学习。你有 妹妹 吗？

Mǎ Lì / 马丽
Méiyǒu. Wǒ yǒu yí ge dìdi.　Tā bú zài Zhōngguó.
没有。我有一个弟弟。他不在 中国。

生 词
shēngcí New Words

1	朋友	n.	péngyou	friend
2	在	prep.	zài	at, in
3	哪儿	pron.	nǎr	where
4	工作	v.	gōngzuò	to work
5	银行	n.	yínháng	bank
6	做	v.	zuò	to do
7	工程师	n.	gōngchéngshī	engineer
8	谁	pron.	shéi	who
9	大学	n.	dàxué	university
10	学习	v.	xuéxí	to study
11	有	v.	yǒu	to have
12	个	m.	gè	*measure word*

扩展生词　Kuòzhǎn shēngcí　Vocabulary Extension

①	公司	n.	gōngsī	company
②	大使馆	n.	dàshǐguǎn	embassy
③	经理	n.	jīnglǐ	manager
④	秘书	n.	mìshu	secretary
⑤	学校	n.	xuéxiào	school
⑥	孩子	n.	háizi	child

语言点　Yǔyándiǎn　Language Points

1. 疑问代词 "谁"　Interrogative Pronoun "谁"

疑问代词 "谁"，可以用来询问他人的姓名或身份。有shéi和shuí两种发音。口语中一般读作 "shéi" 如：

"谁" is an interrogative pronoun, used to enquire other's name or identity. It has two pronunciations "shéi" and "shuí". In spoken Chinese, it is usually pronounced as "shéi". For example:

Tā shì shéi?
1) 她是谁?

Shéi shì nǐ de lǎoshī?
2) 谁是你的老师?

当直接询问对方的姓名或身份时，为了避免语气的生硬，"谁"总是被省略，"是"读得长一些，且句调上扬。如：

When enquiring other's name or identity directly, "谁" is always omitted and "是" is pronounced in a prolonged and rising tone to avoid bluntness. For example:

> Nǐ shì —?
> Q：你 是 —？
>
> Wǒ shì Màikè.
> A：我 是 麦克。

2. "有"字句 "有" Sentences

动词"有"作谓语主要成份的句子常表示领有，否定形式是"没有"。

"有" sentence is a sentence in which the verb "有" denoting possession functions as the main element of the predicate. The negation of "有" is "没有". For example:

> Wǒ yǒu yí ge mèimei.
> 1) 我 有 一 个 妹妹。
>
> Tā méi yǒu gēge.
> 2) 他 没 有 哥哥。

3. "数+量+名"结构 The Numeral + Measure Word +Noun Structure

汉语的数词一般不直接和名词连接，它们之间要用特定的名量词，不能随意组合。这是汉语的特点之一。其中"个"是使用范围最广的量词。

In Chinese, numeral and noun are not used directly together but with a specific measure word in between and can't go freely with others. This is one characteristics of Chinese. The most commonly used mesure word is "个". For example:

1) yí ge mèimei
一 个 妹妹

2) yí ge miànbāo
一 个 面包

3) liǎng bēi kāfēi
两 杯 咖啡 (two cups of coffee)

4) sān píng kělè
三 瓶 可乐 (three bottles of coke)

5) sì wǎn mǐfàn
四 碗 米饭 (four bowls of rice)

4. "二" 和 "两"   "二" and "两"

"二" 和 "两" 都是表示 "2" 这个数目。在量词前一般用 "两" 不用 "二"。

"二" and "两" both mean the number "2". Usually "两" is used before a measure word not "二".

liǎng ge mèimei   èr lóu
两 个 妹妹   二 楼

liǎng ge yuè   èr yuè
两 个 月   二 月

语音注释与练习 Yǔyīn zhùshì yǔ liànxí
Notes and Exercises

"一"的变调 "Yī" de biàndiào Tone Sandhi of "一"

1. 数词"一"的本调是第一声。在单独念、数数或位于数尾时读本调；它后面的音节是第一、二、三声时要读成第四声；后面的音节是第四声或由第四声变来的轻声时要读成第二声。如：

The numeral "一" is originally pronounced in the first tone. When used alone, used for counting, or at the end of numerals, it is pronounced in its original tone, i.e. the first tone. When "一" appears before a syllable of the first, the second, or the third tone, it will change into the fourth tone. When followed by a syllable of the fourth tone or the neutral tone changed from the fourth tone, "一" will be pronounced in the second tone. For example:

yī		
yī èr sān…shíyī…èrshíyī…	一 二 三 ……十一…… 二十一	
yì tiān	一天	one day
yì nián	一年	one year
yì diǎnr	一点儿	a little; a bit
yí ge	一个	a; one

2. 练习 Liànxí Exercises

yì fēn	yì tiān	yì zhāng	yìbān
yì nián	yì céng	yì huí	yì jié

| yì běn | yì diǎnr | yì bǎ | yìqǐ |
| yíhuìr | yíbàn | yí ge | yíyàng |

拓展　Tuòzhǎn　Extra Information

从零数到十　Count from 0 to 10

零	一	二	三	四	五	六	七	八	九	十
líng	yī	èr	sān	sì	wǔ	liù	qī	bā	jiǔ	shí
0	1	2	3	4	5	6	7	8	9	10

语音练习　Yǔyīn liànxí　Exercises

Běijīng 北京	hǎochī 好吃	měi tiān 每天	mǎidān 买单
kǎoyā 烤鸭	Měiguó 美国	Fǎguó 法国	dǎ zhé 打折
yǒumíng 有名	xiǎoshí 小时	wǎnfàn 晚饭	qǐng zuò 请坐
mǐfàn 米饭	yǒu shì 有事	mǎlù 马路	jiǎozi 饺子
xǐhuan 喜欢	jiějie 姐姐	zǎoshang 早上	běnzi 本子

语言活动 Yǔyán Huódòng
Oral Activity

（一）句型练习 Pattern Drills

Nǐ zài nǎr gōngzuò?
Q：你 在 哪儿 工作？

Wǒ zài
A：我 在 ＿＿＿＿＿。

xuéxiào	dàxué
学校	大学
gōngsī	dàshǐguǎn
公司	大使馆

Nǐ zuò shénme gōngzuò?
Q：你 做 什么 工作？

Wǒ shì
A：我 是 ＿＿＿＿。

jīnglǐ	lǎoshī	mìshu	gōngchéngshī
经理	老师	秘书	工程师

（二）阅读理解 Reading Comprehension

Wǒ jiào Tāngmǔ, wǒ shì Měiguórén, wǒ zài Měiguó gōngsī gōngzuò, wǒ
我 叫 汤姆，我 是 美国人，我 在 美国 公司 工作，我

shì gōngchéngshī. Wǒ àiren shì Àodàlìyàrén, tā zài Déguó xuéxiào gōngzuò,
是 工程师。我 爱人 是 澳大利亚人，她 在 德国 学校 工作，

tā shì Yīngyǔ lǎoshī. Tā xuéxí Hànyǔ, wǒ bù xuéxí Hànyǔ. Wǒ hěn máng.
她 是 英语 老师。她 学习 汉语，我 不 学习 汉语。我 很 忙。

wǒmen méiyǒu háizi.
我们 没有 孩子。

Tāngmǔ shì nǎ guó rén?
1）汤姆 是 哪 国 人？

Tāngmǔ zài nǎr gōngzuò?
2）汤姆 在 哪儿 工作？

Tāngmǔ zuò shénme gōngzuò?
3）汤姆 做 什么 工作？

Tā àiren shì Měiguórén ma?

4) 他 爱人 是 美国人 吗？

Tā àiren zài nǎr gōngzuò?

5) 他 爱人 在 哪儿 工作？

Tā àiren zuò shénme gōngzuò?

6) 他 爱人 做 什么 工作？

Tā àiren xuéxí Hànyǔ ma?

7) 他 爱人 学习 汉语 吗？

Tāngmǔ xuéxí Hànyǔ ma?

8) 汤姆 学习 汉语 吗？

Tāmen yóu háizi ma?

9) 他们 有 孩子 吗？

（三） 自我介绍 Self-introduction

5

Wǒmen qù nǎr chī fàn
我们去哪儿吃饭
Where Are We Going for Dinner

Kèwén
课文
Text

(一)

Mike and Mary are discussing where they are going for dinner.

Màikè 麦克	Wǒmen qù nǎr chī fàn?	我们 去哪儿 吃饭？
Mǎ Lì 马丽	Wǒmen qù Āfántí fànguǎnr chī fàn ba.	我们 去阿凡提 饭馆 吃饭 吧。
Màikè 麦克	Āfántí fànguǎnr zài nǎr?	阿凡提 饭馆 在 哪儿？
Mǎ Lì 马丽	Zài Sānlǐtúnr fùjìn.	在 三里屯 附近。
Màikè 麦克	(Wǒmen) zěnme qù?	（我们） 怎么 去？
Mǎi Lì 马丽	(Wǒmen) dǎchē qù ba.	（我们） 打车 去 吧。
Màikè 麦克	Hǎo de.	好 的。

(二)

Màikè 麦克	Shīfu, wǒmen qù Sānlǐtúnr.	师傅，我们 去 三里屯。
sījī 司机	Hǎo.	好。

40

After they arrived at Sanlitun.

司机 sījī	Dào sānlǐtúnr le, zài nǎr tíng? 到 三里屯 了①，在 哪儿 停？
麦克 Màikè	Zuǒ guǎi, yìzhí zǒu, zài nàr tíng. Duōshao qián? 左 拐，一直 走，在 那儿 停。多少 钱？
司机 sījī	Èrshíbā kuài. 二十八 块。
麦克 Màikè	Gěi nǐ qián. Qǐng gěi wǒ fāpiào. 给 你 钱。请 给 我 发票。
司机 sījī	Hǎo de. Gěi nǐ fāpiào. Zàijiàn. 好 的。给 你 发票。再见。

生 词
shēngcí New Words

1	去	v.	qù	to go
2	吃饭		chī fàn	to have meal
3	饭馆	n.	fànguǎnr	restaurant
4	附近	n.	fùjìn	nearby
5	怎么	pron.	zěnme	how
6	打车		dǎ chē	to take a taxi
7	师傅	n.	shīfu	proper address for the taxi driver
8	司机	n.	sījī	driver
9	到	v.	dào	to arrive
10	了	pt.	le	particle
11	停	v.	tíng	to stop

12	左拐		zuǒ guǎi	to turn left
13	一直	*adv.*	yìzhí	to keep going
14	走	*v.*	zǒu	to go
15	那儿	*pron.*	nàr	there
16	多少	*pron.*	duōshao	how many, how much
17	钱	*n.*	qián	money
18	块	*m.*	kuài	*denomination of Chinese currency*
19	发票	*n.*	fāpiào	receipt
20	再见	*v.*	zàijiàn	good-bye

专有名词　Zhuānyǒu míngcí　Proper Nouns

| 阿凡提 | Āfántí | a restaurant name |
| 三里屯 | Sānlǐtúnr | a bar street name |

扩展生词　Kuòzhǎn shēngcí　Vocabulary Extension

1	对不起	*v.*	duìbuqǐ	sorry
2	右拐		yòu guǎi	to turn right
3	掉头		diào tóu	U-turn
4	星巴克	*n.*	Xīngbākè	Starbucks
5	麦当劳	*n.*	Màidāngláo	McDonalds'

⑥	家乐福	*n.*	Jiālèfú	Carrefour
⑦	（飞）机场	*n.*	(fēi) jīchǎng	airport
⑧	这儿	*pron.*	zhèr	here
⑨	坐地铁		zuò dìtiě	by subway
⑩	坐飞机		zuò fēijī	by airplane
⑪	走路		zǒu lù	on foot
⑫	红绿灯	*n.*	hónglǜdēng	traffic lights
⑬	请问		qǐng wèn	may I ask...

注释 Zhùshì Notes

❶ 到三里屯了。

了：表示某件事或某种情况已经发生或完成。

"了" indicates an event or a situation has already happened or finished.

语言点 Yǔyándiǎn
Language Points

1. 语气助词"吧" Modal Particle "吧"

语气助词，用在句尾，表示建议的语气。如：

"吧" is a modal particle, used at the end of a sentence to indicate suggestion.

For example:

1)
Wǒmen qù Āfántí fànguǎnr chī fàn ba.
我们 去阿凡提 饭馆 吃饭吧。

2)
Wǒmen hē kāfēi ba.
我们 喝 咖啡 吧。

2. 疑问代词"怎么" Interrogative Pronoun "怎么"

怎么，疑问代词，用在动词前，用于询问方式、方法。如：

"怎么" is an interrogative pronoun, used before a verb to inquire by what means. For example:

Zěnme qù?
怎么 去?

3. 给+宾语₁+宾语₂ 给+O₁+O₂

动词"给"在这个句子里有两个宾语，一个指人，一个指物，指人的宾语总是在前。如：

The verb "给" is followed by double subjects in this structure, with the object referring to person followed by the object refering to things. For example:

1)
Gěi nǐ qián.
给 你 钱。

2)
Gěi wǒ fāpiào.
给 我 发票。

4. 疑问代词"多少" Interrogative Pronoun "多少"

"多少"，疑问代词，用来提问数目，多用于询问十或十以上以及不可数的数量。

"多少" is an interrogative pronoun, used to inquire about the amount which is no less than ten or before an uncountable number. For example:

Zhè ge duōshao qián?
1）这 个 多少 钱?

Xuéxiào yǒu duōshao lǎoshī?
2）学校 有 多少 老师?

拓展 Tuòzhǎn **Extra Information**

从零数到十（Count from 0 to 10）

11 = 10 + 1 shí yī 12 = 10 + 2 shí èr	20 = 2 × 10 èr shí 30 = 3 × 10 sān shí	21 = 20 + 1 èrshí yī 22 = 20 + 2 èrshí èr ⋮
13 = 10 + 3 shí sān ⋮ 19 = 10 + 9 shí jiǔ	40 = 4 × 10 sì shí ⋮ 90 = 9 × 10 jiǔ shí 100 = 10 × 10 shí shí 110 = 11 × 10 shíyī shí	31 = 30 + 1 sānshí yī 32 = 30 + 2 sānshí èr ⋮ 99 = 90 + 9 jiǔshí jiǔ

语言活动 Yǔyán Huódòng
Oral Activity

（一）问路　Ask the Way

　　　　　Fàngguǎnr　zài nǎr?
A：饭馆　　　　在 哪儿?

　　　　　Fàngguǎnr　zài　Sānlǐtúnr　　fùjìn.
B：饭馆　　　　在 　三里屯　　附近。

（二）打车　Take a Taxi

　　　　　Shīfu,　　wǒ qù　　Qiáo xuéxiào
A：师傅，我去　　桥　学校　　　　。

B： Duìbuqǐ,　Qiáo xuéxiào zài nǎr?
对不起，桥　学校 在哪儿？

A： Yìzhí zǒu,　yòu guǎi.
一直走，右拐。

（三）在超市　At the Supermarket

A： Píjiǔ　zài　nǎr?
啤酒 在哪儿？

B： Zài zhèr　(nàr).
在这儿（那儿）。

niúnǎi　kělè　kāfēi
牛奶　可乐　咖啡

（四）看图说话　Look and Say

1

Yínháng zài nǎr?
银行　在哪儿？

2

Nǐ zěnme qù Jiālèfú?
你 怎么 去 家乐福?

Wǒ zǒulù qù Jiālèfú.
我 走路 去 家乐福。

dǎ chē
打 车

Qiáoxuéxiào
桥学校

zuò fēijī
坐 飞机

Měiguó
美国

（五）自制生词表

Make a list of places' name that you are interested in

6

Wǒ qù mǎi dōngxi
我去买东西
I'm Going Shopping

Kèwén
课文
Text

In the early morning, Mike goes to work. His wife, Mary, goes to the market. Before working, Mike goes to Starbucks to buy coffee.

(一)

In Starbucks.

fúwùyuán 服务员	Nín yào shénme? 您要什么？
Màikè 麦克	Wǒ yào liǎng bēi kāfēi. 我要两杯咖啡。
fúwùyuán 服务员	Hái yào biéde ma? 还要别的吗？
Màikè 麦克	Bú yào. Xièxiè. 不要。谢谢。

(二)

At the fruit market.

shòuhuòyuán 售货员	Nín mǎi shénme (shuǐguǒ)? 您买什么（水果）？
Mǎ Lì 马丽	Wǒ mǎi píngguǒ. Duōshao qián yì jīn? 我买苹果。多少钱一斤？

售货员 shòuhuòyuán
Sān kuài yì jīn. Nín yào jǐ jīn?
三块一斤。您要几斤？

马丽 Mǎ Lì
Wǒ yào liǎng jīn. Wǒ hái yào sān jīn chéngzi.
我要两斤。我还要三斤橙子。

Yígòng duōshao qián?
一共 多少 钱？

售货员 shòuhuòyuán
Yígòng 18 kuài.
一共 18 块。

马丽 Mǎ Lì
Gěi nǐ qián.
给你钱。

售货员 shòuhuòyuán
Zhǎo nín liǎng kuài. Zàijiàn.
找 您 两 块。再见。

（三）

At night, Mike and Mary are at home.

麦克 Màikè
Jīntiān nǐ qù chāoshì le ma?
今天 你 去 超市 了吗？

马丽 Mǎ Lì
Wǒ méi qù chāoshì, wǒ qù shìchǎng le.
我 没去 超市，我 去 市场 了。

麦克 Màikè
Nǐ mǎi shénme le?
你买 什么 了？

马丽 Mǎ Lì
Wǒ mǎi shuǐguǒ le. Shuǐguǒ hěn piányi.
我买 水果 了。水果 很 便宜。

生 词

shēngcí New Words

1	买	v.	mǎi	to buy
2	东西	n.	dōngxi	something
3	服务员	n.	fúwùyuán	waiter,waitress
4	要	v.	yào	to want
5	杯	m.	bēi	a cup of
6	还	adv.	hái	still
7	别的	pron.	biéde	something else, others
8	售货员	n.	shòuhuòyuán	sales person
9	水果	n.	shuǐguǒ	fruit
10	苹果	n.	píngguǒ	apple
11	斤	n.	jīn	half a kilogram
12	几	pron.	jǐ	how many, how much
13	橙子	n.	chéngzi	orange
14	一共	adv.	yígòng	altogether,total
15	找	v.	zhǎo	to give (change)
16	今天	n.	jīntiān	today
17	超市	n.	chāoshì	supermarket
18	市场	n.	shìchǎng	market
19	便宜	adj.	piányi	cheap

扩展生词　Kuòzhǎn shēngcí　Vocabulary Extension

①	昨天	*n.*	zuótiān	yesterday
②	梨	*n.*	lí	pear
③	香蕉	*n.*	xiāngjiāo	banana
④	葡萄	*n.*	pútao	grape
⑤	瓶	*m.*	píng	a bottle of
⑥	碗	*m.*	wǎn	a bowl of

语言点　Yǔyándiǎn　Language Points

1. 疑问代词"几"　Interrogative Pronoun "几"

疑问代词，用于询问估计不大于十的数字。它和后面的名词之间要用量词。如：

"几" is an interrogative pronoun, used to ask the number estimated less than ten. A mesure word should be used between "几" and the following noun. For example:

　　　Nǐ yào jǐ jīn?
1）你 要 几 斤？

　　　Nǐ yǒu jǐ ge mèimèi?
2）你 有 几 个 妹妹？

　　　Nǐ mǎi jǐ bēi kāfēi?
3）你 买 几 杯 咖啡？

2. 句尾 "了" 的用法 The Usage of "了"

"了"，语气助词。功能之一是表示对已成事实的一种肯定语气。如：

The particle "了" is used at the end of the sentence to express an affirmative mood stating an existing situation. For example:

Dào sānlǐtúnr le.
1) 到 三里屯了。

Wǒ mǎi shuǐguǒ le.
2) 我买 水果了。

Tāmen qù xuéxiào le.
3) 他们 去 学校 了。

对带语气助词 "了" 的一般疑问句作否定回答时，要在动词前加 "没"，并去掉句尾 "了"。

When giving a negative answer to a question with "了", you need to add "没" before the verb, and drop "了" at the end of the sentence.

Zuótiān nǐ mǎi píjiǔ le ma?
Q：昨天 你买 啤酒 了吗?

Zuótiān wǒ méi mǎi píjiǔ.
A：昨天 我 没 买 啤酒。

Zuótiān nǐ hē kāfēi le ma?
Q：昨天 你喝 咖啡 了吗?

Zuótiān wǒ méi hē kāfēi.
A：昨天 我 没 喝 咖啡。

语言活动　　Yǔyán Huódòng
Oral Activity

（一）看图说话　Look and Say

1

￥25.00

2

￥10.00

3 ￥6.00

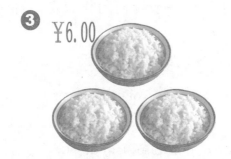

Nǐ yào shénme?
A：你要 什么？

Wǒ yào
B：我 要 _____。

Nǐ yào jǐ
A：你要 几 _____？

Wǒ yào　　　　　　Duōshao qián?
B：我 要 _____。多少 钱？

A：_____。

（二）情景会话　Conversation

A： Zhè ge duōshao qián?
这 个 多少 钱？

B： _____。

A： Gěi nǐ yìbǎi kuài.
给 你 100 块。

B： Zhǎo nǐ
找 你 _____。

（三）请问问你的中国朋友喜欢吃什么水果
Ask your Chinese friends what fruits they like to eat

（四）自制商店名称的生词表

Make a list of shop names that you know

现在几点了

What Time Is It

7

Kèwén

课文

Text

(一)

Mike and Ludong are in the office, Ludong wants to invite Mike to have a drink at a bar after work.

Lù Dōng 陆东	Nǐ jīntiān jǐ diǎn xiàbān? 你 今天 几 点 下班?
Màikè 麦克	Wǒ liù diǎn xiàbān. 我 六 点 下班。
Lù Dōng 陆东	Wǒmen qù jiǔbā, hǎo ma? 我们 去 酒吧，好 吗?
Màikè 麦克	Hǎo de. 好 的。
Lù Dōng 陆东	Xiànzài jǐ diǎn le? 现在 几 点 了?
Màikè 麦克	Xiànzài wǔ diǎn bàn le. 现在 五 点 半 了。
Lù Dōng 陆东	Wǒmen liù diǎn qù. 我们 六 点 去。

(二)

Today is Friday, Mike and Ludong are discussing what they do this weekend.

Lù Dōng 陆东	Zhōumò nǐ xiǎng gàn shénme? 周末 你 想 干 什么?
Màikè 麦克	Míngtiān wǒ qù dǎ wǎngqiú, hòutiān wǒ shàng Hànyǔkè. 明天 我去 打 网球，后天 我 上 汉语课。 Nǐ ne? 你 呢?
Lù Dōng 陆东	Wǒ yě xiǎng qù dǎ wǎngqiú. 我 也 想 去 打 网球。
Màikè 麦克	Wǒmen yìqǐ qù ba? 我们 一起 去 吧?
Lù Dōng 陆东	Hǎo. Nǐ tàitai yě qù ma? 好。 你 太太 也 去 吗?
Màikè 麦克	Tā bú zài Běijīng, zuótiān tā qù Shànghǎi le. 她 不 在 北京，昨天 她 去 上海 了。

生 词

shēng cí **New Words**

1	点	*m.*	diǎn	o'clock
2	下班		xià bān	off work
3	半	*num.*	bàn	half
4	酒吧	*n.*	jiǔbā	bar
5	现在	*n.*	xiànzài	now
6	周末	*n.*	zhōumò	weekend
7	想	*v.*	xiǎng	would like to
8	干	*v.*	gàn	to do

⑨	明天	n.	míngtiān	tomorrow
⑩	打	v.	dǎ	to play
⑪	网球	n.	wǎngqiú	tennis
⑫	后天	n.	hòutiān	the day after tomorrow
⑬	上课		shàng kè	to have class
⑭	一起	adv.	yìqǐ	together

专有名词 Zhuānyǒu míngcí **Proper Nouns**

汉语	Hànyǔ	the Chinese language

扩展生词 Kuòzhǎn shēngcí **Vocabulary Extension**

①	每天		měi tiān	everyday
②	早上	n.	zǎoshang	early morning
③	上午	n.	shàngwǔ	morning
④	中午	n.	zhōngwǔ	noon
⑤	下午	n.	xiàwǔ	afternoon
⑥	晚上	n.	wǎnshang	evening
⑦	早饭	n.	zǎofàn	breakfast
⑧	午饭	n.	wǔfàn	lunch
⑨	晚饭	n.	wǎnfàn	dinner
⑩	家人	n.	jiārén	family

⑪	公园	n.	gōngyuán	park
⑫	健身房	n.	jiànshēnfáng	gym
⑬	起床		qǐ chuáng	to get up
⑭	上班		shàng bān	to go to work
⑮	开会		kāi huì	to have a meeting
⑯	锻炼	v.	duànliàn	to exercise
⑰	散步		sàn bù	to take a walk
⑱	睡觉		shuì jiào	to go to sleep
⑲	然后	conj.	ránhòu	then

语言点 Yǔyándiǎn
Language Points

1. 钟点表示法　Time Expressions

汉语表示特定时刻的词语是：

The Chinese words used to indicate a particular moment are:

| 点 | diǎn | o'clock | | 半 | bàn | half |
| 刻 | kè | quarter | | 分 | fēn | minute |

八点	8:00	八点一刻	8:15
八点（零）五分	8:05	八点半	8:30
八点五十五分 （差五分九点）	8:55		

注意 Notes

1) 表示整点的"点"也可以说"点钟"。如：

"点" and "点钟" means the same. For example:

> liǎng diǎn (zhōng)
> 2:00 = 两 点 （钟）
> shí'èr diǎn (zhōng)
> 12:00 = 十二 点 （钟）

在表示2：00的时候，我们总是说"两点"，不说"二点"。

We always say "两点", never "二点".

2) "刻"只有"一刻"和"三刻"这两种说法。如：

There are only "一刻" and "三刻" in spoken Chinese. For example:

> qī diǎn yí kè
> 7:15 = 七点一刻
> qī diǎn shíwǔ (fēn)
> = 七点十五（分）
> qī diǎn sān kè
> 7:45 = 七点三刻
> qī diǎn sìshíwǔ (fēn)
> = 七点四十五（分）

2. 能愿动词"想"(xiǎng) Modal Verb "想"

想，用作能愿动词，表示希望、打算。具体用法为：S.+想+V.+O.
例如：

"想" is a modal verb meaning want, hope or plan. It is used in the pattern S.+想+V.+O. For example:

Wǒ xiǎng huí jiā.
1) 我 想 回家。

Wǒ xiǎng shuō Hànyǔ.
2) 我 想 说 汉语。

语音练习 Yǔyīn liànxí Exercises

zǎoshang 早上	zhīdào 知道	zěnme 怎么	zhōumò 周末
zuótiān 昨天	zhíyuán 职员	càidān 菜单	chāoshì 超市
cíyǔ 词语	chī fàn 吃饭	cídiǎn 词典	chuántǒng 传统
sījī 司机	jīchǎng 机场	cún qián 存钱	chūntiān 春天
cǎoméi 草莓	chéngzi 橙子	sàn bù 散步	Shànghǎi 上海

Zuótiān nǐ qù shìchǎng le ma?
1. 昨天 你 去 市场 了 吗?

Wǒ yào sān jīn píngguǒ, hái yào liǎng jīn chéngzi.
2. 我 要 三 斤 苹果，还要 两 斤 橙子。

语言活动

Yǔyán Huódòng

Oral Activity

(一) 现在几点 What time is it now

(二) 看图说话 Look and Say

（三）阅读理解　Reading Comprehension

Màikè de yì tiān
麦克 的 一天

Wǒ měi tiān zǎoshang liù diǎn bàn qǐ chuáng, qī diǎn shíwǔ chī zǎofàn,
我 每天 早上 六点半起床，七点十五吃早饭，

shàngwǔ jiǔ diǎn shàngbān, zhōngwǔ shí'èr diǎn bàn chī wǔfàn. Xiàwǔ liǎng diǎn
上午 九点 上班， 中午 十二 点 半 吃午饭。下午 两 点

kāihuì, wǎnshang liù diǎn xiàbān, liù diǎn bàn dào qī diǎn bàn wǒ qù jiànshēnfáng
开会， 晚上 六点 下班， 六点 半 到 七点 半 我 去 健身房

duànliàn. Bā diǎn wǒ hé jiārén chī wǎnfàn, ránhòu wǒmen qù gōngyuán sànbù.
锻炼。八点 我 和 家人 吃 晚饭， 然后 我们 去 公园 散步。

Wǎnshang shí diǎn bàn wǒ shuìjiào. Wǒ měi tiān hěn máng, yě hěn lèi.
晚上 十点半我 睡觉。我 每天 很 忙， 也 很 累。

Tā měi tiān zǎoshang jǐ diǎn qǐ chuáng?
1．他每天 早上几点起 床？

Tā jǐ diǎn kāihuì?
2．他几点 开会？

Liù diǎn bàn dào qī diǎn bàn tā gàn shénme?
3．六点半到七点半他干 什么？

Tā měi tiān máng ma? Lèi ma?
4．他每天 忙 吗？累 吗？

（四）根据实际情况谈谈一天的活动

Talk about what you do in a day

8

Nǐ jiā lí gōngsī yuǎn ma

你家离公司远吗

Do You Live Far Away From Your Workplace

Kèwén
课文
Text

（一）

It's early morning. Mike and Lu Dong are chatting in the elevator.

Lù Dōng 陆东	Nǐ jiā lí gōngsī yuǎn ma? 你家离公司远吗？
Màikè 麦克	Hěn yuǎn. 很远。
Lù Dōng 陆东	Nǐ měi tiān zěnme lái (gōngsī)? 你每天怎么来（公司）？
Màikè 麦克	Wǒ měi tiān dǎchē shàngbān, dàgài bàn xiǎoshí. Nǐ ne? 我每天打车上班，大概半小时。你呢？
Lù Dōng 陆东	Wǒ jiā lí gōngsī bù yuǎn, zuò dìtiě dàgài shíwǔ fēnzhōng. 我家离公司不远，坐地铁大概十五分钟。

（二）

Mike wants to go to the supermarket, but he doesn't know where it is.

Màikè 麦克	Lù Dōng, fùjìn yǒu chāoshì ma? 陆东，附近有超市吗？

Lù Dōng 陆东	Yǒu. 有。	

Màikè 麦克	Qù nàr zěnme zǒu? 去 那儿 怎么 走？

Lù Dōng 陆东	Wǎng nán zǒu, dào hónglǜdēng yòu guǎi, dàgài zǒu 往 南 走， 到 红绿灯 右 拐， 大概 走 wǔshí mǐ. 五十 米。

Màikè 麦克	Xièxie. 谢谢。

Lù Dōng 陆东	Bú kèqi. 不 客气。

生 词

shēngcí New Words

1	家	n.	jiā	home
2	离	v.	lí	to be away
3	远	adj.	yuǎn	far
4	来	v.	lái	to come
5	大概	adv.	dàgài	approximately
6	小时	n.	xiǎoshí	hour
7	地铁	n.	dìtiě	subway
8	分钟	n.	fēnzhōng	minute
9	往	prep.	wǎng	toward
10	南	n.	nán	south
11	米	m.	mǐ	meter

专有名词 Zhuānyǒu míngcí **Proper Nouns**

故宫	Gùgōng	Forbidden City

扩展生词 Kuòzhǎn shēngcí **Vocabulary Extension**

1	北京	n.	Běijīng	Beijing
2	天津	n.	Tiānjīn	Tianjin
3	国贸饭店	n.	Guómào Fàndiàn	World Trade Hotel
4	东	n.	dōng	east
5	西	n.	xī	west
6	北	n.	běi	north
7	近	a.	jìn	close
8	站	n.	zhàn	stop, station
9	医院	n.	yīyuàn	hospital
10	邮局	n.	yóujú	post office

语言点 Yǔyándiǎn
Language Points

1. A离B远（近）吗?

用来询问A、B之间距离的远近。回答为"A离B很近（远）"或"A离B不近（远）"。例如：

"A离B远（近）吗？" is for asking the distance between A and B. "A离B很近（远）"or "A离B不近（远）" is often used as a reply. For example:

> Běijīng lí Tiānjīn yuǎn ma?
> A：北京 离 天津 远 吗？
>
> Běijīng lí Tiānjīn hěn jìn.
> B₁：北京 离 天津 很 近。
>
> Běijīng lí Tiānjīn bù yuǎn.
> B₂：北京 离 天津 不 远。

2. "有"

表示存在，它的否定形式是"没有"。例如：

" 有" indicates existence. Its negative form is "没有". For example:

> Fùjìn yǒu chāoshì ma?
> A：附近 有 超市 吗？
>
> Yǒu.
> B₁：有。
>
> Méiyǒu.
> B₂：没有。

3. 去……怎么走？

可用此句型询问到达某地的路线。例如：

It is used to ask how to get to a certain destination. For example:

> Qǐng wèn, qù Guómào Fàndiàn zěnme zǒu?
> A：请 问, 去 国贸 饭店 怎么 走？
>
> Yìzhí zǒu, dào hónglǜdēng yòu guǎi, dàgài zǒu yìbǎi mǐ.
> B：一直 走, 到 红绿灯 右 拐, 大概 走 一百 米。

语音练习　Yǔyīn liànxí　Exercises

Běijīng 北京	fēnzhōng 分钟	jīnglǐ 经理	zhōngwǔ 中午
qiánbian 前边	chūntiān 春天	qǐ chuáng 起床	Chángchéng 长城
qǐng wèn 请问	chī fàn 吃饭	qí chē 骑车	chàng gē 唱歌
xiāngjiāo 香蕉	shíjiān 时间	xuéxí 学习	shàngwǔ 上午
xièxie 谢谢	shénme 什么	xiànzài 现在	shàng kè 上课

Nǐ měi tiān jǐ diǎn shàngbān?
1. 你每天几点　上班？

Míngtiān shàngwǔ shí diǎn wǒmen yìqǐ qù dǎ wǎngqiú, hǎo ma?
2. 明天　　上午十点 我们一起去打 网球，好 吗？

语言活动　Yǔyán Huódòng
Oral Activity

（一）用"有"或者"没有"填空

Fill in the blanks with "有" or "没有"

Wǒ jiā fùjìn　　　　chāoshì, wǒ jiā lí chāoshì hěn yuǎn.
1. 我家附近＿＿＿＿超市，我家离超市很　远。

Màikè jiā fùjìn　　　　dìtiězhàn, tā jiā lí dìtiězhàn hěn jìn.
2. 麦克家附近＿＿＿＿地铁站，他家离地铁站很近。

Zhè fùjìn　　　　Yìdàlì fànguǎnr, zhèr lí Yìdàlì fànguǎnr hěn yuǎn.

3．这 附近＿＿＿＿意大利饭馆，这儿离意大利饭馆 很 远。

Wǒmen gōngsī fùjìn　　　　Xīngbākè, Wǒmen gōngsī lí Xīngbākè

4．我们 公司 附近＿＿＿＿星巴克，我们 公司 离 星巴克

hěn jìn.

很近。

（二）用提示词完成以下对话

Complete the conversation with the words given

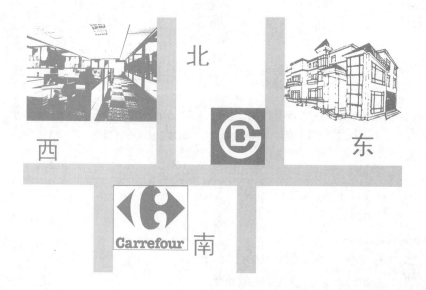

Nǐ jiā lí　　　　yuǎn ma?

A：你 家 离 ＿＿＿＿＿＿远 吗?

| gōngsī | dìtiězhàn | chāoshì |
| 公司 | 地铁站 | 超市 |

B：＿＿＿＿＿。

Qù　　　　zěnme zǒu?

A：去＿＿＿＿怎么 走?

| yuǎn | jìn |
| 远 | 近 |

B：＿＿＿＿＿。

（三）看图回答问题 Answer the questions according to the picture

1) Zhè ge xuéxiào yǒu yóujú ma?
这 个 学校 有 邮局 吗?

2) Yóujú lí yínháng yuǎn ma?
邮局 离 银行 远 吗?

3) Yóujú lí chāoshì yuǎn ma?
邮局 离 超市 远 吗?

4) Yínháng lí chāoshì yuǎn ma?
银行 离 超市 远 吗?

9

Wǒ xiǎng qǐng nǐ chī fàn
我 想 请 你 吃 饭
I Would Like to Invite You to Dinner

Kèwén
课文
Text

（一）

Mike and his wife are going to invite Lu Dong to dinner.

Màikè
麦克

Míngtiān wǎnshang nǐ yǒu shíjiān ma? Wǒmen xiǎng qǐng
明天　晚上　你 有 时间 吗? 我们　想　请
nǐ chī fàn.
你 吃 饭。

Lù Dōng
陆东

Duìbuqǐ, wǒ méi shíjiān, wǒ yào gēn nǚ péngyou qù
对不起, 我 没 时间, 我 要 跟 女 朋友 去
tīng yīnyuèhuì.
听 音乐会。

Màikè
麦克

Hòutiān wǎnshang ne?
后天　晚上　呢?

Lù Dōng
陆东

Hòutiān wǎnshang wǒ yǒu shíjiān. Wǒmen jǐ diǎn jiàn?
后天　晚上 我 有 时间。 我们 几 点 见?

Màikè
麦克

Qī diǎn, wǒmen qù nǐ jiā jiē nǐ ba.
七点, 我们 去 你 家 接 你 吧。

Lù Dōng
陆东

Hǎo de, xièxie.
好 的, 谢谢。

Màikè
麦克

Bú kèqi.
不 客气。

（二）

Mike calls the restaurant to make a reservation.

fúwùyuán
服务员
Nín hǎo.　Zhèli　shì　Dàdōng Fàndiàn.
您 好。 这里 是 大东 饭店。

Màikè
麦克
Nín hǎo.　Wǒ xiǎng dìng　wèizi.
您 好。 我 想 订 位子。

fúwùyuán
服务员
Hǎo de.　Jǐ　wèi?
好 的。 几 位?

Màikè
麦克
Sān wèi.　Xià ge xīngqīyī wǎnshang qī diǎn bàn,　yǒu
三 位。 下 个 星期一 晚上 七 点 半, 有

wèizi　ma?
位子 吗?

fúwùyuán
服务员
Yǒu.　Nín guìxìng?　Nín de diànhuà hàomǎ shì duōshao?
有。 您 贵姓? 您 的 电话 号码 是 多少?

Màikè
麦克
Wǒ xìng Lǐ,　wǒ de diànhuà shì　13081024833.
我 姓李, 我 的 电话 是 13081024833。

Xièxie ,　zàijiàn.
谢谢 , 再见。

生 词

shēngcí　New Words

①	时间	*n.*	shíjiān	time
②	请	*v.*	qǐng	to invite
③	跟	*prep.*	gēn	with
④	女	*n.*	nǚ	female
⑤	听	*v.*	tīng	to listen to

⑥	音乐会	n.	yīnyuèhuì	concert
⑦	见	v.	jiàn	to meet
⑧	接	v.	jiē	to pick up
⑨	打	v.	dǎ	to call
⑩	电话	n.	diànhuà	telephone
⑪	订	v.	dìng	to book
⑫	位子	n.	wèizi	seat
⑬	位	m.	wèi	*measure word for person*
⑭	上	n.	shàng	last
⑮	下	n.	xià	next
⑯	星期	n.	xīngqī	week
⑰	贵	adj.	guì	honourable, *a polite way of asking people's surname*
⑱	姓	n.	xìng	surname
⑲	贵姓	n.	guìxìng	your name*(an honorable term)*
⑳	号码	n.	hàomǎ	number

专有名词　Zhuānyǒu míngcí　Proper Nouns

| 大东饭店 | Dàdōng Fàndiàn | a restaurant name |

扩展生词　Kuòzhǎn shēngcí　Vocabulary Extension

| ① | 看 | v. | kàn | to watch , see |
| ② | 电影 | n. | diànyǐng | movie |

Yǔyándiǎn
Language Points

1. 兼语句　Pivotal Sentences

句子的谓语由两个动词短语组成，前一个动词的宾语同时又做后一部分的主语。兼语句的前一个动词常常是带有使令意义的动词，常用的有"请，让，叫"等。如：

A sentence is called a pivotal sentence if its predicate consists of two verb phrases and the object of the first verb is the subject of the second verb. The first verb is often an imperative verb, of which the mostly commonly used are "请，让，叫". For example:

> Míngtiān wǎnshang wǒ xiǎng qǐng nǐ chī fàn.
> 明天　　晚上　我　想　请　你　吃　饭。

2. 介词结构："跟"+宾语　Preposition Structure: "跟"+ subject

跟和后面的宾语构成介词结构，用在动词前面做状语。如：

"跟 + subject"，is a prepositional structure put before a verb to function as an adverbial. For example:

> Wǒ gēn lǎobǎn qù Shànghǎi.
> 我 跟 老板 去 上海。

3. 星期表达法　Expressions of Week

星期的名称　Days in a Week

星期一	星期二	星期三	星期四	星期五	星期六	星期天（日）
xīngqīyī	xīngqī'èr	xīngqīsān	xīngqīsì	xīngqīwǔ	xīngqīliù	xīngqītiān（rì）
Monday	Tuesday	Wednesday	Thursday	Friday	Saturday	Sunday

yí　ge　xīngqī
一（个）星期
one week

liǎng ge xīngqī
两（个）星期
two weeks

sān　ge　xīngqī
三（个）星期
three weeks

注意　Notes

若要表达前一个星期的概念，应说："上（个）星期"；若要表达后一个星期的概念，应说"下（个）星期"。

"上（个）星期" means the previous week and "下（个）星期" means the next week.

语言活动　Yǔyán Huódòng
Oral Activity

（一）替换 Substitution

Míngtiān wǎnshang nǐ yǒu shíjiān
（1）A：明天　晚上 你 有 时间
ma? Wǒ xiǎng qǐng nǐ chī fàn.
吗？我 想 请 你 吃饭。

qù Xīngbakè　hē kāfēi
去星巴克　喝咖啡
kàn diànyǐng
看　电影

Xièxie,　kěshì wǒ méi
B：谢谢，　可是 我 没

shíjiān.　Wǒ gēn lǎobǎn
时间。　我 跟 老板

qù Shànghǎi kāihuì.
去 上海 开会。

gēn tóngshì qù xuéxiào xuéxí Hànyǔ
跟 同事 去 学校 学习 汉语

gēn tàitai qù kàn péngyou
跟 太太 去 看 朋友

Xià ge xīngqī ne?
A：下 个 星期 呢？

Xià ge xīngqī wǒ yǒu shíjiān.
B：下 个 星期 我 有 时间。

míngtiān
明天

xīngqītiān
星期天

xià ge xīngqīsì
下 个 星期四

Jīntiān xīngqī jǐ?
(2) A：今天 星期 几？

Jīntiān xīngqīyī.
B：今天 星期一。

míngtiān　hòutiān
明天　后天

zuótiān　qiántiān
昨天　前天

Nǐ xīngqī jǐ xuéxí Hànyǔ?
(3) A：你 星期 几 学习 汉语？

Wǒ xīngqī'èr hé xīngqīsì
B：我 星期二 和 星期四

xuéxí Hànyǔ.
学习 汉语。

mǎi dōngxi
买 东西

bù gōngzuò
不 工作

（二）情景会话 Conversation

Mike's friend will come to Beijing. He asks his driver to meet his friend at the airport.

Màikè: Míngtiān wǒ de péngyou lái Běijīng, nǐ qù jīchǎng jiē tā ba.
麦克: 明天 我的 朋友 来北京，你去机场 接他吧。

sījī: Hǎo de. Tā dàgài jǐ diǎn dào?
司机: 好的。他大概几点到？

Màikè: Dàgài _____ dào.
麦克: 大概_____到。

sījī: Hǎo de. Wǒ _____ qù jiē tā.
司机: 好的。我_____去接他。

（三）语言实践 Practice

先邀请你的朋友和你一起吃饭，然后在一家饭馆订餐。

Invite your friend to have dinner with you and make a reservation at the restaurant.

10

Nǐ shì shénme shíhou dào zhèr de
你是什么时候到这儿的
When Did You Arrive Here

Kèwén
课文
Text

(一)

Lu Dong and Mike planned to play tennis at the park but Lu Dong was late…

Lù Dōng 陆东
Duìbuqǐ, Màikè wǒ lái wǎn le.
对不起，麦克，我来晚了。

Màikè 麦克
Méi guānxi, dǔ chē le ba?
没关系，堵车了吧？

Lù Dōng 陆东
Duì. Nǐ shì zěnme lái de?
对。你是怎么来的？

Màikè 麦克
Wǒ shì zuò dìtiě lái de.
我是坐地铁来的。

Lù Dōng 陆东
Nǐ shì shénme shíhou dào de?
你是什么时候到的？

Màikè 麦克
Wǒ shì jiǔ diǎn bàn dào de.
我是九点半到的。

(二)

During a break…

Màikè 麦克
Nǐ de wǎngqiúpāi zhēn búcuò. (Nǐ) shì zài Běijīng
你的网球拍真不错。(你)是在北京
mǎi de ma?
买的吗？

Lù Dōng 陆东
(Wǒ) shì zài Běijīng mǎi de.
（我）是 在 北京 买 的。

Màikè 麦克
Wǒ yě xiǎng mǎi yí ge, nǐ shì zài nǎr mǎi de?
我 也 想 买 一个, 你 是 在 哪儿 买 的?

Lù Dōng 陆东
Wǒ shì zài Wángfǔjǐng mǎi de.
我 是 在 王府井 买 的。

生 词

shēngcí New Words

1	晚	adj.	wǎn	late
2	没关系		méi guānxi	It doesn't matter
3	堵	v.	dǔ	to block up, congest
4	时候	n.	shíhou	time
5	什么时候		shénme shíhou	when
6	网球拍	n.	wǎngqiúpāi	tennis racket
7	真	adv.	zhēn	really
8	不错	adj.	búcuò	very good

专有名词 Zhuānyǒu míngcí Proper Nouns

| 王府井 | Wángfǔjǐng | a shopping street in Beijing |

扩展生词　　Kuòzhǎn shēngcí　　Vocabulary Extension

1	西安	n.	Xī'ān	capital city of Shaanxi Province
2	海南	n.	Hǎinán	a province of China
3	泰山	n.	Tài Shān	Mt. Tai
4	菜市场		cài shìchǎng	grocery market
5	骑自行车		qí zìxíngchē	to ride a bike
6	坐公共汽车		zuò gōnggòng qìchē	to take a bus
7	长城	n.	Chángchéng	The Great Wall
8	雅秀市场	n.	Yǎxiù Shìchǎng	Yashow Market
9	光盘	n.	guāngpán	disc
10	工人体育馆 (工体)	n.	Gōngrén Tǐyùguǎn (Gōngtǐ)	the Workers' Stadium
11	赛百味	n.	Sàibǎiwèi	Subway(fast food chain restaurant)

语言点　　Yǔyándiǎn　　Language Points

1. 吧

用在疑问句的句尾，表示猜测的语气。如：

"吧" is used at the end of an interrogative sentence to indicate a guess or a supposition. For example:

Nǐ shì Fǎguórén ba?
1）你 是 法国人 吧?

Nǐ hē píjiǔ ba?
2）你 喝 啤酒 吧?

2. 什么时候

用来询问时间，可以用年、月、日、星期、点等回答。如：

"什么时候" is used to ask time. You can answer with a year, a month, a day, a week, the hour, etc. For example:

Nǐ shénme shíhou gěi wǒ dǎ diànhuà?
1）Q：你 什么 时候 给我 打 电话?

Wǒ míngtiān zǎoshang gěi nǐ dǎ diànhuà.
A：我 明天 早上 给你 打 电话。

Tā shénme shíhou qù Shànghǎi?
2）Q：他 什么 时候 去 上海?

Tā xià ge xīngqī'èr qù Shànghǎi.
A：他 下 个 星期二 去 上海。

3. 是……的

当强调过去某一动作发生的时间、处所、方式等时，用"是……的"结构。如果动词后面有宾语，且宾语为名词时，"的"可以放在动词后面，也可以放在句尾。如：

"是……的" is used to emphasize when, where and how an action occurred. "的" can be put either after or before the verb if the verb has a noun object. For example:

Wǒ shì zuótiān dào Běijīng de.
1）我 是 昨天 到 北京 的。

Tā shì dǎchē lái xuéxiào de.
2）他 是 打车 来 学校 的。

Tā shì zài Sānlǐtúnr hē de píjiǔ.
3）他 是 在 三里屯 喝 的 啤酒。

语言活动

Yǔyán Huódòng
Oral Activity

Ta shénme shíhou qǐchuáng?
Q：他 什么 时候 起床?

Ta　　　　　　qǐchuáng.
A：他 _____ 起床。

83

Ta shénme shíhou qù Xī'ān?
Q：他 什么 时候 去 西安？

Ta　　　　 qù Xī'ān.
A：他 _____去 西安。

chī zǎofàn
吃 早饭

shàng kè
上 课

qù fànguǎnr
去 饭馆

3

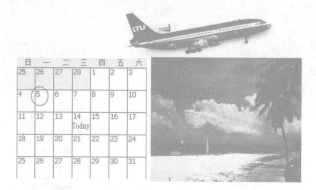

Ta qù Hǎinán le.
A：他 去 海南 了。

Ta shì shénme shíhou qù de?
Q：他 是 什么 时候 去 的？

Ta shì　　　 qù de.
A：他 是 _____去 的。

Ta shì zěnme qù de?
Q：他 是 怎么 去 的？

Ta shì　　　 qù de.
A：他 是 _____去 的。

4

Ta qù Tài Shān le ba?
A：他 去 <u>泰山</u> 了 吧?

Ta qù Tài Shān le.
Q：他 去 <u>泰山</u> 了。

| Jiālèfú |
| 家乐福 |
| Chángchéng |
| 长城 |
| cài shìchǎng |
| 菜 市场 |

Ta shì shénme shíhou qù de?
A：他 是 什么 时候 去 的?

Ta shì   qù de.
Q：他 是 ＿＿＿ 去 的。

| zuótiān qiántiān |
| 昨天   前天 |
| xiàwǔ liǎng diǎn |
| 下午   两 点 |

Ta shì zěnme qù de?
A：他 是 怎么 去 的?

Ta shì   qù de.
Q：他 是 ＿＿＿ 去 的。

| zǒu lù |
| 走 路 |
| qí zìxíngchē |
| 骑自行车 |
| zuò gōnggòng qìchē |
| 坐 公共 汽车 |

Nǐ shì zài nǎr mǎi de shuǐguǒ?
A：你 是 在 哪儿 <u>买 的 水果</u>?

Wǒ shì zài   de.
Q：我 是 在 ＿＿＿＿ 的。

| mǎipán —— Yǎxiù Shìchǎng |
| 买盘 —— 雅秀 市场 |
| dǎ wǎngqiú Gōngtǐ |
| 打 网球 —— 工体 |
| chī wǔfàn Sàibǎiwèi |
| 吃 午饭 —— 赛百味 |

11

Wǒ néng shìshi nà jiàn yīfu ma

我能试试那件衣服吗

May I Try That On

Kèwén
课文
Text

（一）

Mike goes shopping in a store.

shòuhuòyuán 售货员	Nín hǎo! Nín mǎi shénme? 您 好！ 您 买 什么？
Màikè 麦克	Wǒ kànkan … … 我 看看……
	Wǒ néng shìshi nà jiàn hēi de ma? 我 能① 试试那件 黑 的 吗？
shòuhuòyuán 售货员	Kěyǐ. Nín chuān duō dà hào de? 可以。 您 穿 多 大 号 的？
Màikè 麦克	Zhōng hào de. 中 号 的。
	Zhè jiàn yǒudiǎnr xiǎo, yǒu dà hào de ma? 这件 有点儿 小， 有 大 号 的 吗？
shòuhuòyuán 售货员	Yǒu, nín shìshi. 有， 您 试试。

（二）

After trying it on.

shòuhuòyuán 售货员	Dà hào de héshì ma? 大 号 的 合适 吗？

麦克 Màikè
Héshì, yǒu hēi de ma?
合适，有黑的吗?

售货员 shòuhuòyuán
Yǒu.
有。

麦克 Màikè
Wǒ yào hēi de.
我要黑的。

售货员 shòuhuòyuán
Gěi nín, 116 kuài.
给您，116块。

麦克 Màikè
Tài guì le. Piányi (yì)diǎnr.
太贵了。便宜(一)点儿。

售货员 shòuhuòyuán
110 kuài.
110块。

生 词
shēngcí New Words

1	能	aux.v.	néng	can
2	试	v.	shì	to try something on
3	件	m.	jiàn	*measure word for clothes*
4	衣服	n.	yīfu	clothes
5	黑	adj.	hēi	black
6	可以	aux.v.	kěyǐ	may
7	穿	v.	chuān	to wear
8	大	adj.	dà	large

9	中	*adj.*	zhōng	medium
10	小	*adj.*	xiǎo	small
11	号	*n.*	hào	size
12	有点儿	*adv.*	yǒudiǎnr	a little bit
13	合适	*adj.*	héshì	fit
14	一点儿	*adv.*	yìdiǎnr	a little

扩展生词　Kuòzhǎn shēngcí　Vocabulary Extension

1	用	*v.*	yòng	to use
2	裤子	*n.*	kùzi	pants
3	鞋	*n.*	xié	shoes
4	条	*m.*	tiáo	*measure word for pants*
5	双	*m.*	shuāng	*measure word for shoes*
6	张	*m.*	zhāng	*measure word for DVD*
7	绿	*adj.*	lǜ	green
8	红	*adj.*	hóng	red
9	白	*adj.*	bái	white
10	黄	*adj.*	huáng	yellow
11	蓝	*adj.*	lán	blue

量词附表　Table of Measures

数词	量词	名称	英文
一 yī	件 jiàn	衬衫 chènshān	a shirt
两 liǎng	件 jiàn	T恤衫 Txùshān	two T-shirts
三 sān	件 jiàn	大衣 dàyī	three overcoats
四 sì	件 jiàn	夹克 jiākè	four jackets
五 wǔ	条 tiáo	裤子 kùzi	five pants
六 liù	条 tiáo	牛仔裤 niúzǎikù	six jeans
七 qī	双 shuāng	鞋 xié	seven pairs of shoes

注释　Zhùshì　Notes

1 我能试试那件黑的吗？

"能"或"可以"用在问句中，表示许可或者请求。常用句式"能（可以）……吗"。肯定回答常用"可以"，否定回答为"不能"或"不可以"。如：

"能" is used in questions to ask for permission or a favor. The common pattern is "能……吗". Its affirmative answer is "可以" and negative answer is "不能". For example:

> Wǒ néng (kěyǐ)　hē yì bēi kāfēi ma?
> A：我 能（可以）喝 一 杯 咖啡 吗？
>
> Kěyǐ.
> B1：可以。
>
> Bù néng.
> B2：不 能。
>
> Bù kěyǐ.
> 不 可以。

语言点　Yǔyándiǎn
Language Points

1. 动词重叠　Verb Reduplication

在汉语口语中，有些动词可以重叠，表示动作短暂、轻微和尝试，并带有一种轻松随意的语气。单音节动词的重叠形式是"AA"或"A一A"。重叠的后一个音节和"一"要轻读。如：

In spoken Chinese, verb reduplication indicates a tentative attempt or try. The pattern for a single syllable verb is "AA" or "A 一 A". "一" and the second verb are pronounced in light tones. For example:

Wǒ néng shìshi nà jiàn yīfu ma?
1）我 能 试试 那件 衣服 吗？

Ní kànkan zhè shuāng xié.
2）您 看看 这 双 鞋。

2. "的"字结构 "的" Structure

"*adj.*＋的"可以构成"的"字短语，用起来相当于一个名词。

"*adj*+的" constructs a "的" structure and functions as a noun.

Wǒ mǎi zhè shuāng hēi de.
我 买 这 双 黑 的。

hēi de hēi de xié
黑 的 = 黑 的 鞋

3. "有点儿"和"一点儿" "有点儿" and "一点儿"

"有点儿"用在动词或形容词前，作状语，表示程度轻微，常用于表达不如意、不愉快的事情。如：

"有点儿"is put before a verb or an adjective to function as an adverbial, implying a light degree of dissatisfaction. For example:

Wǒ yǒudiǎnr è.
1）我 有点儿 饿。

Jīntiān yǒudiǎnr rè.
2）今天 有点儿 热。

"一点儿" 是数量词，表示少量，用在名词前。如：

"一点儿" is a numberal put before nouns to express a small amount. For example:

> Tā mǎi le yìdiǎnr chéngzi.
> 他 买 了 一点儿 橙子。

"一点儿"也常常用在形容词后，表示程度轻微。如：

"一点儿"can also be put after adjectives, meaning a little bit. For example:

> Piányi yìdiǎnr ba.
> 1）便宜 一点儿 吧。
>
> Kuài yìdiǎnr.
> 2）快 一点儿。

4. 太+形容词+了　太+Adj+了

"太……了"表示程度过分而不满意，或者因程度极高而赞叹。
"太"与"了"之间多半用形容词。

"太……了" indicates an extreme degree of dissatisfaction or admiration.
Between "太" and "了" adjectives are used most frequently. For example:

> Tài guì le.
> 1）太贵了。
>
> Tài piányi le.
> 2）太 便宜 了。
>
> Tài yuǎn le.
> 3）太 远 了。
>
> Tài hǎo le.
> 4）太 好 了。

语言活动

Yǔyán Huódòng

Oral Activity

（一）用所给的词完成句子

Complete the sentences with the words given

Wǒ néng　　　　nǐ de shǒujī ma?
A：我 能 ＿＿＿＿你 的 手机 吗？

Kěyǐ.
B：可以。＿＿＿＿。

Xièxie.
A：谢谢。

B：＿＿＿＿。

Wǒ néng　　　　zhè zhāng CD ma?
A：我 能 ＿＿＿＿这 张 CD 吗？

Kěyǐ.
B：可以。＿＿＿＿。

Xièxie.
A：谢谢。

B：＿＿＿＿。

| yòng 用 |
| gěi 给 |
| kèqi 客气 |
| tīng 听 |
| gěi 给 |
| kèqi 客气 |

（二）完成对话　Complete the dialogue

Nín mǎi shénme?
A：您 买 什么？

Wǒ　　　　　　duōshao qián?
B：我 ＿＿＿＿。＿＿＿＿多少 钱？

200 kuài.
A：200块。

guì,   yǒu piányi de ma?
B：_____贵，有 便宜 的吗？

Yǒu,   zhè ge piányi   160 kuài.
A：有，这个便宜_____。160块。

Wǒ néng   ma?
B：我 能 _____吗？

Kěyǐ.
A：可以。

Nín chuān duō dà hào de?
A：您 穿 多大号 的？

Wǒ chuān
B：我 穿 _____。

Nín shìshi.
A：您 试试。

xiǎo, yǒu dà de ma?
B：_____小，有 大 的吗？

Yǒu. Gěi nín.
A：有。给您。

（三）表示请求 Making Requests

néng   ma?
Q：_____能 _____吗？

Kěyǐ.
+A：可以。

Bù néng.
-A：不能。

yòngyong kànkan
用用   看看

shuō Hànyǔ
说 汉语

Jīntiān nǐ néng　　　　ma?
A：今天 你 能 _____吗？

Duìbuqǐ,　jīntiān wǒ hěn máng.
B：对不起，今天 我 很 忙。

Wǒ néng míngtiān　　　ma?
我 能 明天_____吗？

Kěyǐ.
A：可以。

lái gōngsī
来 公司

gēn wǒ　 yìqǐ　 qù yínháng
跟 我 一起 去 银行

（四）看图说话 Look and Say

Jīntiān de cài yǒudiǎnr
1）今天 的 菜 有点儿_____。

2）

Jīntiān yǒudiǎnr
今天 有点儿_____。

Zhè jiàn yīfu yǒudiǎnr
3）这 件 衣服 有点儿_____。

4）

Tā yǒudiǎnr
他 有点儿_____。

Kèwén

课文

Text

Peter and Mike went to a Sichuan restaurant.

fúwùyuán 服务员	*Huānyíng guānglín! Jǐ wèi?* 欢迎 光临！几 位？	
Màikè 麦克	*Liǎng wèi.* 两 位。	
fúwùyuán 服务员	*Qǐng zuò zhèr. Gěi nín càidān.* 请 坐 这儿。给 您 菜单。	
Màikè 麦克	*Lái yì hú chá.* 来 ① 一 壶 茶。	
fúwùyuán 服务员	*Hóngchá háishi lǜchá?* 红茶 还是 绿茶？	
Màikè 麦克	*Lái yì hú lǜchá ba?* 来 一 壶 绿茶 吧？	
Bǐdé 彼得	*Hǎo de.* 好 的。	

… …

Bǐdé 彼得	*Lái yí ge gōngbǎo jīdīng, zài lái yí ge suànróng xīlánhuā.* 来 一 个 宫保 鸡丁，再 来 一 个 蒜蓉 西蓝花。
Màikè 麦克	*Fúwùyuán, yúxiāng ròusī là bu là?* 服务员，鱼香 肉丝 辣 不 辣？

Màikè
麦克

Yǒudiǎnr là.
有点儿 辣。

Lái yí ge. Zài lái liǎng wǎn mǐfàn. Gòu le.
来 一 个。再 来 两 碗 米饭。够 了②。

… …

Màikè
麦克

Fúwùyuán, qǐng gěi wǒmen liǎng ge sháozi.
服务员，请 给 我们 两 个 勺子。

fúwùyuán
服务员

Shāo děng, gěi nín.
稍 等，给 您。

Màikè
麦克

Fúwùyuán, mǎidān.
服务员，买单。

fúwùyuán
服务员

Yígòng 118 kuài.
一共 118 块。

Màikè
麦克

Zhè ge cài dǎbāo.
这 个 菜 打包。

生 词
shēngcí New Words

1	欢迎光临		huānyíng guānglín	welcome
2	菜单	*n.*	càidān	menu
3	来	*v.*	lái	to take, to order
4	壶	*m.*	hú	a pot of (*measure word for drinks*)
5	红茶	*n.*	hóngchá	black tea
6	还是	*conj.*	háishi	or

7	绿茶	n.	lǜchá	green tea
8	宫保鸡丁		gōngbǎo jīdīng	stir-fried diced chicken with chilli and peanuts
9	再	adv.	zài	again
10	蒜茸西蓝花		suànróng xīlánhuā	broccoli with mashed garlic
11	鱼香肉丝		yúxiāng ròusī	fish-flavored shredded pork
12	辣	adj.	là	hot
13	够了		gòu le	It's enough
14	勺子	n.	sháozi	spoon
15	稍	adv.	shāo	a little bit
16	等	v.	děng	to wait
17	买单	v.	mǎidān	to pay the bill

扩展生词　　Kuòzhǎn shēngcí　　Vocabulary Extension

1	地方	n.	dìfang	place
2	包	n.	bāo	bag
3	筷子	n.	kuàizi	chopsticks
4	礼物	n.	lǐwù	gift

注释 Zhùshì Notes

❶ 来一壶茶。

"来+名词"，表示命令或请求，多用于饭馆或商店，表示"买""点"或"要"的意思。如：

"来 + noun" is an expression for giving an order or making a request. It is mostly used in hotels or stores, meaning "to order" or "to take". For example:

> Fúwùyuán, lái yí ge bēizi.
> 1）服务员，来一个 杯子。
>
> Lái yí ge yúxiāng ròusī.
> 2）来一个 鱼香 肉丝。

❷ 够了。

了：语气助词，此处表示状态的改变。

"了" is a modal particle. Here it is used to indicate a change of a state.

语言点 Yǔyándiǎn
Language Points

1. 正反疑问句 Affirmative–Negative Question

正反疑问句，即把谓语主要成分的肯定式和否定式连起来形成的一种疑问句。如：

The affirmative-negative question is formed by linking up the affirmative and the negative forms of the main element of the predicate. For example:

> Shuǐguǒ guì bu guì?
> 1) 水果　贵 不 贵？
>
> Míngtiān nǐ lái bu lái xuéxiào?
> 2) 明天　你 来 不 来 学校？

2. 选择疑问句　Alternative Question

用连词"是……还是……"连接两种可能的答案的疑问句叫选择疑问句。如：

Questions using "是……还是……" to provide two alternatives for the answers to choose are called alternative questions. For example:

> Nǐ （shì） hē chá háishi hē kāfēi?
> 你（是）喝 茶 还是 喝 咖啡？

3. 再+ 动　再+ V.

副词"再"用在动词前面作状语，表示动作（状态）的重复或继续。而这种重复或继续是尚未实现的。如：

The adverb "再" is used before a verb to function as an adverbial denoting repetition or continuity of an action or a situation. But this kind of repetition or continuity is yet to be realized. For example:

> Zài lái yì píng píjiǔ.
> 再来 一 瓶 啤酒。

语言活动

Yǔyán Huódòng

Oral Activity

（一）看图说话 Look and Say

Wǒ mǎi　　　　　　zài mǎi
我 买 _____，再 买 _____。

Wǒ yào　　　　　　zài yào
我 要 _____，再 要 _____。

（二）用所给的词完成句子

Complete the sentences with the words given

Zhè ge cài là bu là?
Q：这 个菜辣不辣？

Yǒu diǎnr là.
A：有 点儿辣。

Zhè ge　　　　　　　bu
Q：这 个 ____ ____不 ____？

Yǒudiǎnr
A：有点儿_____。

dìfang　　yuǎn
地方　　远

Zhè ge　　　　　　　bu
Q：这 个 ____ ____不 ____？

Yǒudiǎnr
A：有点儿_____。

bāo　　guì
包　　贵

（三）看图完成对话 Complete the dialogues according to the pictures

（1）

Q：你 吃 _____ 还是 _____？
（Nǐ chī _____ háishi _____）

A：我 吃 _____。
（Wǒ chī _____）

（2）

Q：你 喝 _____ 还是 _____？
（Nǐ hē _____ háishi _____）

A：我 喝 _____。
（Wǒ hē _____）

（3）

　　　Nǐ yào　　　　háishi
Q：你要 _____ 还是 _____ ？

　　　Wǒ yào
A：我要 _____ 。

（4）

　　　Nǐ qù　　　　háishi
Q：你去 _____ 还是 _____ ？

　　　Wǒ qù
A：我去 _____ 。

（四）根据给出的图片，用"给sb sth"说句子

Make sentences by using the structure "给 sb sth"

　　　Qǐng gěi
（1）请 给 _____ _____

　　　Qǐng gěi
（2）请 给 _____ _____

（3）

Qǐng gěi
请 给 ＿＿＿＿＿ ＿＿＿＿＿

（4）

Qǐng gěi
请 给 ＿＿＿＿＿ ＿＿＿＿＿

（5）

Qǐng gěi
请 给 ＿＿＿＿＿ ＿＿＿＿＿

（五）表示催促 Expressing an urge

Nín hǎo.　Nín yǒu shénme shìr?
A：您 好。您 有 什么 事儿?

Wǒ xiǎng
B：我 想 ＿＿＿＿＿。

Hǎo, qǐng shāo děng.
A：好，请 稍 等。

Qǐng kuài yìdiǎnr,　xièxie.
B：请 快一点儿，谢谢。

（六）自制生词表，写出常用餐具的名称
Make your own list of common dining utensils

Shēngcíbiǎo
生词表
Vocabulary

A

阿姨	āyí	n.	3
爱人	àiren	n.	3

B

爸爸	bàba	n.	1
白	bái	adj.	11
半	bàn	num.	7
办公室	bàngōngshì	n.	3
包	bāo	n.	12
包子	bāozi	n.	2
杯	bēi	m.	6
北	běi	n.	8
别的	biéde	pron.	6
不错	búcuò	adj.	10
不客气	bú kèqi		2
不	bù	adv.	1

C

菜单	càidān	n.	12
菜市场	cài shìchǎng		10
超市	chāoshì	n.	6
橙子	chéngzi	n.	6
吃	chī	v.	2
吃饭	chī fàn		5
穿	chuān	v.	11

D

打	dǎ	v.	7,9
打车	dǎ chē		5
大	dà	adj.	11
大概	dàgài	adv.	8
大使馆	dàshǐguǎn	n.	4
大学	dàxué	n.	4
到	dào	v.	5

的	de	*pt.*	3
等	děng	*v.*	12
弟弟	dìdi	*n.*	1
地方	dìfang	*n.*	12
地铁	dìtiě	*n.*	8
点	diǎn	*n.*	7
电话	diànhuà	*n.*	9
电影	diànyǐng	*n.*	9
掉头	diào tóu		5
订	dìng	*v.*	9
东	dōng	*n.*	8
东西	dōngxi	*n.*	6
堵	dǔ	*v.*	10
锻炼	duànliàn	*v.*	7
对	duì	*adj.*	3
对不起	duìbuqǐ	*v.*	5
多少	duōshao	*pron.*	5

E

饿	è	*adj.*	2

F

发票	fāpiào	*n.*	5
饭馆	fànguǎnr	*n.*	5
(飞)机场	(fēi)jīchǎng	*n.*	5
分钟	fēnzhōng	*n.*	8
服务员	fúwùyuán	*n.*	6
附近	fùjìn	*n.*	5

G

干	gàn	*v.*	7
高兴	gāoxìng	*adj.*	3
哥哥	gēge	*n.*	1
个	gè	*m.*	4
给	gěi	*v.*	2
宫保鸡丁	gōngbǎo jīdīng		12
跟	gēn	*prep.*	9
工程师	gōngchéngshī	*n.*	4
公司	gōngsī	*n.*	4
公园	gōngyuán	*n.*	7
工作	gōngzuò	*n.*	4
够了	gòu le		12

光盘	guāngpán	n.	10
贵	guì	adj.	9
贵姓	guìxìng	n.	9
国	guó	n.	3

H

还	hái	adv.	6
还是	háishi	conj.	12
孩子	háizi	n.	4
好	hǎo	adj.	1
号	hào	n.	11
号码	hàomǎ	n.	9
喝	hē	v.	1
合适	héshì	adj.	11
黑	hēi	adj.	11
很	hěn	adv.	2
红	hóng	adj.	11
红茶	hóngchá	n.	12
红绿灯	hónglùdēng	n.	5
后天	hòutiān	n.	7
壶	hú	m.	12

| 欢迎光临 | huānyíng guānglín | | 12 |
| 黄 | huáng | adj. | 11 |

J

几	jǐ	pron.	6
家	jiā	n.	8
家人	jiārén	n.	7
见	jiàn	v.	9
件	jiàn	m.	11
健身房	jiànshēnfáng	n.	7
饺子	jiǎozi	n.	2
叫	jiào	v.	3
接	jiē	v.	9
姐姐	jiějie	n.	3
斤	jīn	m.	6
今天	jīntiān	n.	6
近	jìn	adj.	8
进	jìn	v.	3
经理	jīnglǐ	n.	4
酒吧	jiǔbā	n.	7

K

咖啡	kāfēi	n.	1
开会	kāi huì		7
看	kàn	v.	9
渴	kě	adj.	2
可乐	kělè	n.	1
可以	kěyǐ	aux.v.	11
裤子	kùzi	n.	11
块	kuài	m.	5
筷子	kuàizi	n.	12

L

辣	là	adj.	12
来	lái	v.	8,12
蓝	lán	adj.	11
老板	lǎobǎn	n.	3
老师	lǎoshī	n.	3
了	le	pt.	5
累	lèi	adj.	2
冷	lěng	adj.	2
梨	lí	n.	6

离	lí	v.	8
礼物	lǐwù	n.	12
绿	lǜ	adj.	11
绿茶	lǜchá	n.	12

M

妈妈	māma	n.	1
吗	ma	pt.	1
买	mǎi	v.	6
买单	mǎidān	v.	12
忙	máng	adj.	2
没关系	méi guānxi		10
每天	měi tiān		7
妹妹	mèimei	n.	3
们	men	suf.	3
米	mǐ	m.	8
米饭	mǐfàn	n.	2
秘书	mìshu	n.	4
面包	miànbāo	n.	2
明天	míngtiān	n.	7
名字	míngzi	n.	3

N

哪	nǎ	pron.	3
哪儿	nǎr	pron.	4
那	nà	pron.	3
那儿	nàr	pron.	5
南	nán	n.	8
呢	ne	pt.	2
能	néng	aux.v.	11
你	nǐ	pron.	1
牛奶	niúnǎi	n.	1
女	nǚ	adj.	9

P

朋友	péngyou	n.	4
啤酒	píjiǔ	n.	1
便宜	piányi	adj.	6
瓶	píng	m.	6
苹果	píngguǒ	n.	6
葡萄	pútao	n.	6

Q

骑自行车	qí zìxíngchē		10
起床	qǐ chuáng		7
钱	qián	n.	5
巧克力	qiǎokèlì	n.	2
请	qǐng	v.	3,9
请问	qǐng wèn		5
去	qù	v.	5

R

然后	ránhòu	conj.	7
热	rè	adj.	2
人	rén	n.	3
认识	rènshi	v.	3

S

三明治	sānmíngzhì	n.	2
散步	sàn bù		7
上	shàng	n.	9
上班	shàng bān		7

上课	shàng kè		7
上午	shàngwǔ	*n.*	7
稍	shāo	*adv.*	12
勺子	sháozi	*n.*	12
谁	shéi	*pron.*	4
什么	shénme	*pron.*	2
什么时候	shénme shíhou		10
师傅	shīfu	*n.*	5
时候	shíhou	*n.*	10
时间	shíjiān	*n.*	9
是	shì	*v.*	3
试	shì	*v.*	11
市场	shìchǎng	*n.*	6
手机	shǒujī	*n.*	3
售货员	shòuhuòyuán	*n.*	6
双	shuāng	*m.*	11
水果	shuǐguǒ	*n.*	6
睡觉	shuì jiào		7
司机	sījī	*n.*	5
蒜茸西蓝花	suànróng xīlánhuā		12

T

他	tā	*pron.*	1
她	tā	*pron.*	1
条	tiáo	*m.*	11
听	tīng	*v.*	9
停	tíng	*v.*	5
同事	tóngshì	*n.*	3

W

碗	wǎn	*m.*	6
晚	wǎn	*adj.*	10
晚饭	wǎnfàn	*n.*	7
晚上	wǎnshang	*n.*	7
往	wǎng	*prep.*	8
网球	wǎngqiú	*n.*	7
网球拍	wǎngqiúpāi	*n.*	10
位	wèi	*m.*	9
位子	wèizi	*n.*	9
我	wǒ	*pron.*	1
午饭	wǔfàn	*n.*	7

X

西	xī	n.	8
下	xià	n.	9
下班	xià bān		7
下午	xiàwǔ	n.	7
现在	xiànzài	n.	7
香蕉	xiāngjiāo	n.	6
想	xiǎng	v.	7
小	xiǎo	adj.	11
小时	xiǎoshí	n.	8
鞋	xié	n.	11
谢谢	xièxie	v.	2
星期	xīngqī	n.	9
姓	xìng	n.	9
学习	xuéxí	v.	4
学校	xuéxiào	n.	4

Y

要	yào	v.	6
也	yě	adv.	3
衣服	yīfu	n.	11

医院	yīyuàn	n.	8
一共	yígòng	adv.	6
一点儿	yìdiǎnr	nm-m	11
一起	yìqǐ	adv.	7
一直	yìzhí	adv.	5
音乐会	yīnyuèhuì	n.	9
银行	yínháng	n.	4
用	yòng	v.	11
邮局	yóujú	n.	8
有	yǒu	v.	4
有点儿	yǒudiǎnr	adv.	11
右拐	yòu guǎi		5
鱼香肉丝	yúxiāng ròusī		12
远	yuǎn	adj.	8

Z

在	zài	prep.	4
再	zài	adv.	12
再见	zàijiàn	v.	5
早饭	zǎofàn	n.	7
早上	zǎoshang	n.	7

怎么	zěnme	*pron.*	5
站	zhàn	*n.*	8
张	zhāng	*m.*	11
找	zhǎo	*v.*	6
这	zhè	*pron.*	3
这儿	zhèr	*pron.*	5
真	zhēn	*adj.*	10
中	zhōng	*n.*	11
中午	zhōngwǔ	*n.*	7
周末	zhōumò	*n.*	7
走	zǒu	*v.*	5
走路	zǒu lù		5
昨天	zuótiān	*n.*	6
左拐	zuǒ guǎi		5
坐	zuò	*v.*	3
做	zuò	*v.*	4
坐地铁	zuò dìtiě		5
坐飞机	zuò fēijī		5
坐公共汽车	zuò gōnggòng qìchē		10

Zhuān yǒu míngcí
专有名词
Proper Nouns

阿凡提	Āfántí	5
北京	Běijīng	8
长城	Chángchéng	10
工人体育馆（工体）	Gōngrén Tǐyùguǎn (GōngTǐ)	10
故宫	Gùgōng	8
国贸饭店	Guómào Fàndiàn	8
海南	Hǎinán	10
汉语	Hànyǔ	7
家乐福	Jiālèfú	5
麦当劳	Màidāngláo	5
美国	Měiguó	3
赛百味	Sàibǎiwèi	10
三里屯	Sānlǐtúnr	5
泰山	Tài Shān	10
天津	Tiānjīn	8
王府井	Wángfǔjǐng	8
西安	Xī'ān	10
星巴克	Xīngbākè	5
雅秀市场	Yǎxiù Shìchǎng	10
英国	Yīngguó	4

课文翻译
Text Translation

A：Hello.

B：Hello.

A：Would you like some coffee?

B：No, Thanks! I would like some cola.

第二课

（一）

A：Are you hungry?

B：No. How about you?

C：I am very hungry.

（二）

A：What would you like to eat?

B：I'd like some dumplings.

A：Here you are.

B：Thanks

A：You are welcome.

第三课

（一）

Before visiting Mike's boss, Peter, Mike and Mary are talking about him at home.

Mary：Mike, what's your boss' name?

Mike：His name is Peter.

Mary：Where is he from?

Mike：He is from America.

114

（二）

Mike and Mary arrive at Peter's house.

Peter : Hi.

Mike/Mary：Hi.

Peter : Come in please.

Mike : This is my boss, Peter.
This is my wife, Mary.

Peter : Nice to meet you.

Mary : Nice to meet you, too.

Peter : Please sit down.

Mary : Thank you.

第四课

（一）

Mary takes Mike to Yuanyuan's home for an evening party.

Mary : This is my husband, Mike. This is my friend, Yuanyuan.

Yuanyuan：Hello. Where are you from?

Mike : I am from the UK.

Yuanyuan：Where do you work?

Mike : I am working in a bank. What do you do?

Yuanyuan：I am an engineer.

（二）

Mary and Yuanyuan are looking at of Yuanyuan's family photos.

Mary : Yuanyuan, who is she?

Yuanyuan：She is my younger sister.

Mary : Where does she work?

Yuanyuan：She is not working. She is studying in a university. Do
you have younger sisters?

Mary : No. I have a younger brother. He is not in China.

（一）

Mike and Mary are discussing where they are going for dinner.

Mike：Where are we going for dinner?

Mary：Let's go to Afanti Restaurant for dinner?

Mike：Where is Afanti Restaurant?

Mary：It's near Sanlitun.

Mike：How do we get there?

Mary：We will take a taxi.

Mike：Ok.

（二）

Mike：　　Shifu, we are going to Sanlitunr.

Taxi driver：Ok.

After they arrived Sanlitunr.

Taxi driver：We are arriving at Sanlitunr. Where shall we stop?

Mike：　　Turn left and go straight. We will stop there. How much is it?

Taxi drive：Twenty-eight *yuan*.

Mike：　　Here is the money. Please give me the receipt.

Taxi driver：Ok, here is the receipt. Bye.

In the early morning, Mike goes to work. His wife, Mary goes to the market. Before work, Mike goes to Starbucks to buy coffee.

(一)

In Starbucks

Waiter/Waitress: What can I do for you?
Mike: I want two cups of coffee.
Waiter/Waitres: Do you want anything else?
Mike: No, thanks.

(二)

At the fruit market.

Shop assistant: What fruit do you want?
Mary: I want some apples. How much per Jin?
Shop assistant: Three *yuan* per *jin*. How much do you want?
Mary: Two *jin*. I also want three *jin* of oranges. How much altogether?
Shop assistant: Eighteen *yuan*.
Mary: Here is the money.
Shop assistant: Here is two *yuan*, your change. See you later.

(三)

At night, Mike and Mary are at home.

Mike: Did you go to the supermarket today?
Mary: No. I went to the fruit market.
Mike: What have you bought?
Mary: I've bought some fruits. They are very cheap.

（一）

Mike and Ludong are in the office, Ludong wants to invite

Mike to have a drink at a bar after work.

Ludong：When will you finish your work today?

Mike： Six O'clock.

Ludong：Let's go to the bar after work, shall we?

Mike： Sure!

Ludong：What time is it now?

Mike： Half past five.

Ludong：We will set off at six.

（二）

Today is Friday, Mike and Ludong are discussing what they

should do this weekend.

Ludong：What are you going to do this weekend?

Mike： I am going to play tennis tomorrow, and I have a Chinese lesson the day after tomorrow. What about you?

Ludong：I also want to play tennis.

Mike： Why not go and play together?

Ludong：That will be great. Is your wife going too?

Mike： No. She is not in Beijing. She went to Shanghai yesterday.

（一）

It's early morning, Mike and Ludong are chatting in the

elevator.

Ludong: Do you live far from your workplace?

Mike : Yes.

Ludong: How do you get to work everyday?

Mike : I go to work by taxi. It takes me about half an hour. How about you?

Ludong: My home is not far from work. It's about 15 minutes by subway.

(二)

Mike wants to go to the supermarket, but he doesn't know where it is.

Mike: Ludong, is there a supermarket nearby?

Ludong: Yes.

Mike: How can I get there?

Ludon: Go southward and turn right at the traffic light. It's about 50 meters' walk.

Mike: Thanks.

Ludon: My pleasure!

第九课

(一)

Mike and his wife are going to invite Lu Dong to dinner..

Mike: Are you free tomorrow night? I would like to invite you to dinner.

Ludong: Sorry, but I cannot go. I am going to the concert with my girlfriend.

Mike: What about the day after tomorrow?

Ludong: I am available then. When shall we meet?

Mike: Seven O'clock. We will go to your house to pick you up.

Ludong: Ok. Thank you.

Mike: Don't mention it.

（二）

Mike calls the restaurant to make a reservation.

Receptionist： Hello. This is Dadong Restaurant.

Mike： Hi. I want to book a table.

Receptionist： For how many people?

Mike： Do you have a table for three at half past seven next Monday night?

Receptionist： Yes. May I know your name and telephone number?

Mike： My family name is Lee. My cell phone is 13081024833. Thank you. Bye.

（一）

Ludong and Mike went to the park to play tennis and Ludong came late…

Ludong： Sorry. I am late.

Mike： That's all right. The traffic jam, isn't it?

Ludong： You bet! How did you come here?

Mike： I came here by subway.

Ludong： When did you arrive?

Mike： Half past nine.

（二）

When they are resting…

Mike： Your racket looks great. Did you buy it here in Beijing?

Ludong： Yes.

Mike： I want to have one. Where did you buy it?

Ludong： In Wangfujing.

Mike goes shopping in a store.

Shop assistant：Hello. What can I do for you?

Mike：   I am just looking. May I try that black one on?

Shop assistant：Sure! What size do you want?

Mike：   Medium. This one is a little small for me. Do you have a larger one?

Shop assistant：Yes. Please try this on.

After trying it on.

Shop assistant：Does the large one fit?

Mike：   Yes. Do you have a black one?

Shop assistant：Yes.

Mike：   I will take the black one.

Shop assistant：Here you are. 116 *yuan*.

Mike：   Too expensive. A little cheaper , please.

Shop assistant：110 *yuan*.

Peter and Mike went to a Sichuan restaurant to eat.

Waiter/Waitress：Welcome to our restaurant. How many people do you have?

Mike：   Two.

Waiter/Waitress：Please sit here. Here is the menu.

Mike：   We would like a pot of tea.

Waiter/Waitress：Black tea or green tea?

Mike：   Is green tea ok for you?

Peter：   Ok.

......

Peter：We want a Kung Pao Chicken and a broccoli with mashed garlic.

Mike：Is the fish-flavored shredded pork hot or not?

Waiter/Waitress：Yes, a little bit.

Mike：We would have it and two bowls of rice. That's enough.

......

Mike：Would you bring us two spoons?

Waiter/Waitress：A moment please. Here you are.

Mike：Waiter, check please.

Waiter/Waitress：It's 118 *yuan* in total.

Mike：Please wrap up this dish in a doggy bag.